Vergleichende Studie des me

Rechtssystems

Nayeli Gonzalez Roblero

Vergleichende Studie des mexikanischen und kolumbianischen Rechtssystems

ScienciaScripts

Imprint

Cover image: www.ingimage.com

This book is a translation from the original published under ISBN 978-620-0-05519-4.

Publisher:
Sciencia Scripts
is a trademark of
Dodo Books Indian Ocean Ltd. and OmniScriptum S.R.L publishing group

120 High Road, East Finchley, London, N2 9ED, United Kingdom
Str. Armeneasca 28/1, office 1, Chisinau MD-2012, Republic of Moldova, Europe

ISBN: 978-620-7-27280-8

INHALTSVERZEICHNIS

Kapitel 1	**4**
Kapitel 2	**23**
Kapitel 3	**39**

EINFÜHRUNG

Der Zweck dieser Arbeit ist es, die akademische Forschung zu beschreiben, die während meines Aufenthalts an der Universidad Santo Tomas Medellin, Kolumbien, durchgeführt wurde: Vergleichende Studie zwischen den Rechtssystemen Kolumbiens und Mexikos zur Erlangung von Schadenersatz für Personen, denen die Freiheit entzogen wurde. Das Hauptziel ist die Bereicherung des Forschungsprojekts der Autonomen Universität Chiapas, Mexiko, mit dem Titel "Verletzung des Menschenrechts auf Zugang zur Justiz; Wiedergutmachung des Schadens im Fall Anibal", das Teil des Masterstudiengangs ist.

Die vorgeschlagene Untersuchung ist für das mexikanische Rechtssystem von großer Bedeutung, da im mexikanischen Bundesstaat Chiapas die Opfer, die zu Unrecht ihrer Freiheit beraubt wurden, in der Praxis nicht über wirksame Rechtsmittel verfügen, um den Schutz ihrer Menschenrechte zu erlangen, die infolge der Freiheitsberaubung verletzt worden sind. Zwar gibt es das Allgemeine Opfergesetz, doch ist es nicht anwendbar, weil es keine Rechtsvorschriften gibt, die eine Entschädigung für den vom Staat in Ausübung des ius puniendi verursachten materiellen und immateriellen Schaden regeln. Und obwohl das Recht auf Entschädigung in der Magna Carta sowie in den vom mexikanischen Staat unterzeichneten internationalen Konventionen und Verträgen garantiert ist, gibt es andererseits kein System der außervertraglichen Haftung des Staates, wie es in Kolumbien durch die Verfassung, das Gesetz und die Rechtsprechung mit der Absicht geschaffen wurde, das Recht auf Entschädigung für vom Staat verursachte Schäden zu verwirklichen. In der vorliegenden Studie wird aus rechtlicher Sicht die Last des Mandats nach der Gesetzgebung, die den besonderen Fall angibt, nach der Verfassung, dem Gesetz, der Rechtsprechung und den Doktrinen angeführt, um so die anwendbaren Regelungen zu kennen, die in Mexiko und Kolumbien bestehen. Gemäß dem Arbeitsplan des Aufenthalts wird der folgende Text an der Universität Santo Tomas, Medellin, Kolumbien, präsentiert, der sich nur auf den rechtlichen Kontext der Mandatslast bezieht, der zwischen Mexiko und Kolumbien besteht, und somit die Kriterien festlegt, die jedes Land für das Recht auf Entschädigung anzuwenden hat.

PROLOG

Die vergleichende Untersuchung dieser Situation in Mexiko und Kolumbien bietet eine kritische Analyse der Situation in Mexiko, die darauf zurückzuführen ist, dass die Entwicklung der Gesetzgebung und die Struktur der Justiz dieser Notwendigkeit nicht entsprechen; Kolumbien bietet diesbezüglich Erfahrungen in der Gesetzgebung, der Doktrin und der Rechtssprechung.

Es sollte klar sein, dass der Staat, der für die Verursachung des rechtswidrigen Schadens verantwortlich ist, aus menschenrechtlicher Sicht eine umfassende Entschädigung leisten muss, d. h., dass die Entschädigung nicht nur den durch den Freiheitsentzug entstandenen Schaden deckt, sondern auch die Wiederherstellung des Status quo des Opfers beinhaltet.

Kapitel 1

DIE PRÄZEDENZFÄLLE DER STAATLICHEN VERANTWORTUNG

1. Mexiko und Kolumbien

In Mexiko über das System der Staatshaftung zu sprechen, bedeutet, die wichtigsten Regeln zu identifizieren und ihre Rechtfertigung zu beweisen. Es ist auch notwendig, den Status des Prinzips der Staatshaftung und die wichtigsten Vorläufer nach (Pdrez, 2009) einzubeziehen. Wir gehen von der allgemeinen Regelung der Haftung aus, die sich aus rechtswidrigen Handlungen ergibt, sowie von der verschuldensunabhängigen Haftung des Staates und seiner Organe und Bediensteten, d.h. vor der Schaffung des Bundesgesetzes über die Staatshaftung wurde das Bundeszivilgesetzbuch als Grundlage genommen.

Dann ist die Quelle der Haftung des Staates die in Artikel 1916 festgelegte und verweist auf den moralischen Schaden, der die Auswirkungen hervorhebt, die eine Person in ihren Gefühlen, ihrer Würde und ihren physischen Aspekten oder in der Rücksichtnahme anderer erleiden kann, ist es notwendig, auf den (Codigo Civil Federal, 2016)[1] hinzuweisen, wo er die Annahme des moralischen Schadens erwähnt und somit die Freiheit oder die physische oder psychische Integrität der Person verletzt oder untergräbt.

Der Codigo Civil Federal (2016) beschreibt auch, dass "eine rechtswidrige Handlung oder Unterlassung einen moralischen Schaden verursacht und die dafür verantwortliche Person verpflichtet ist, diesen Schaden zu ersetzen", und zwar durch eine finanzielle Entschädigung entsprechend dem materiellen Schaden, sowohl bei vertraglicher als auch bei außervertraglicher Haftung, und unterstreicht die Verpflichtung zur Wiedergutmachung des moralischen Schadens, den derjenige trägt, der objektiv schuldig ist, sowie der Staat und seine öffentlichen Bediensteten in Übereinstimmung mit dem vorliegenden Gesetzbuch. (Reformiert durch das Dekret, das im Amtsblatt der Föderation am 10. Januar 1994 veröffentlicht wurde). Aus dem vorstehenden Text geht hervor, dass der Gesetzgeber bei seiner Ausarbeitung die Absicht hatte, das Persönlichkeitsrecht zu bewahren, d.h. den Genuss der Fähigkeiten und die Achtung der Entwicklung der physischen und moralischen Persönlichkeit zu gewährleisten, indem er die inneren Werte der Menschenwürde schützt.

Folglich werden die Regeln im Wesentlichen in allen Zivilgesetzbüchern der zweiunddreißig

[1] Nach dem Bürgerlichen Gesetzbuch (2016) gilt, dass derjenige, der eine Entschädigung für immaterielle Schäden aufgrund vertraglicher oder außervertraglicher Haftung fordert, die Unrechtmäßigkeit des Verhaltens des Beklagten und den durch das Verhalten verursachten Schaden vollständig beweisen muss.

föderalen Einheiten der Republik[2] wiederholt. Andererseits verweist der Staat Mexiko auf die Schuld des Staates in Fragen der Entschädigung für moralische Schäden und der Begrenzung von unerlaubten Handlungen.

Andererseits schließen die Gesetze anderer Bundesstaaten wie des Bundesstaates Aguascalientes, des Bundesstaates Baja California, des Bundesstaates Chiapas, des Bundesstaates Durango, des Bundesstaates Hidalgo, des Bundesstaates Michoacan, des Bundesstaates Nuevo Leon und des Bundesstaates Sinaloa den Staat vollständig von der Zahlung einer Entschädigung für moralische Schäden aus. Was die Staatshaftung betrifft, so weist die Gesetzgebung einiger Bundesstaaten einige Besonderheiten auf (Torres Herrera, 2004, S. 11). Es ist ausgesprochen negativ, dass die genannten Staaten nicht verpflichtet sind, auf die Forderung oder den Anspruch auf Entschädigung für immaterielle Schäden aufgrund vertraglicher oder außervertraglicher Haftung zu reagieren, unter dem Vorwand, dass es kein Gesetz gibt, das das Recht auf Entschädigung für den Schaden festlegt.

Dann wird darauf verwiesen, dass es sich um eine gesamtschuldnerische Haftung bei rechtswidrigen Handlungen handelt, die mit dem Bundeszivilgesetzbuch und den Zivilgesetzbüchern von Baja California Sur, Coahuila, Distrito Federal, Guanajuato, Queretaro und Sinaloa übereinstimmt.[3] Die Magna Carta argumentiert nun, dass die allgemeine Grundlage der Haftung des Staates für Vermögensgegenstände dank der Hinzufügung eines zweiten Absatzes zu Artikel 113 das höchste normative Niveau in Mexiko erreicht hat. Nach Pdrez (2009) erklärt er, dass durch diese Ergänzung die Schuldfähigkeit entsteht und eine rechtswidrige Verwaltungstätigkeit als rechtswidrig angesehen wird, wenn sie das Vermögen von Einzelpersonen betrifft, d.h. von Personen, denen ein subjektives öffentliches Recht zuerkannt wurde, das eine individuelle Garantie darstellt, wodurch die Tendenz zur Regelung der Vermögenshaftung überwunden wurde.

Im Diario Oficial de la Federación wurde am 14. Juni (2002) ein Dekret veröffentlicht, mit dem dem Artikel 113 der Verfassung, der am 1. Januar 2004 in Kraft trat, in der Begründung der Verfassungsreform ein zweiter Absatz hinzugefügt wurde, in dem erwähnt wird, dass die Regelung der subsidiären Haftung des Staates archaisch ist, Der "Codigo Civil Federal (Bundeszivilgesetzbuch) stellt fest, dass er in Bezug auf die von seinen Beamten verursachten Schäden archaisch ist, und dass es daher notwendig war, dass diese Haftung nun objektiv und direkt gegen den Staat gerichtet ist"

[2] Daher kann von der Regierung keine Entschädigung für moralische Schäden verlangt werden, wie in den Fällen von Aguascalientes, Baja California, Chiapas, Durango, Hidalgo, Michoacan, Nuevo Leon und Sinaloa, obwohl hervorzuheben ist, dass Torres Herrera in seinen Texten erklärt, dass es keine spezifische Gesetzgebung gibt, die das Recht auf Entschädigung regelt, obwohl sich die Opfer in dieser Situation in einem Zustand der Schutzlosigkeit befinden, in dem es keinen Schutz für ihre grundlegenden Garantien gibt.

[3] In den anderen föderalen Einrichtungen ist die Verantwortung des Staates in allen Fällen nur subsidiär.

(Suprema Corte de Justicia de la Nacion, Tesis Isolada, 2005).

Nun denn, die Verfassungsnorm der Magna Carta, 2004, erklärt den Beginn eines neuen Rechts des Einzelnen auf Entschädigung nach dem Gesetz, das später gegründet wurde und in den föderalen Einheiten ist die Macht, die notwendige Gesetzgebung der patrimonialen Verantwortung des Staates zu schaffen, nach Pdrez (2009) argumentiert, dass diese Praktiken in Kraft getreten, bis der erste Januar zweitausendneun.

Der zweite Absatz von Artikel 113 der Verfassung legt fest, dass die finanzielle Haftung des Staates für Schäden am Eigentum oder an den Rechten von Einzelpersonen, die aus seiner rechtswidrigen Verwaltungstätigkeit resultieren, objektiv und direkt ist, und andererseits wurde die verfassungsrechtliche Änderung in den Postulaten der Theorie der rechtswidrigen Schädigung bekräftigt (Pdrez, 2009, S. 13-38).

Im vorangegangenen Absatz führt Pdrez aus, dass die in Artikel 113 der Magna Carta verankerte Verantwortung des Staates für sein Vermögen objektiv und unmittelbar geworden ist und sich daraus das subjektive öffentliche Recht des Einzelnen ableitet, eine Entschädigung gemäß den in der Gesetzgebung festgelegten Grundlagen, Grenzen und Verfahren zu verlangen.

Außerdem gibt es das Föderale Gesetz über die vermögensrechtliche Haftung des Staates, das am 31. Dezember 2004 im Amtsblatt der Föderation verkündet wurde und am 1. Januar 2005 in Kraft getreten ist. Dieses gesetzliche Mandat regelt den zweiten Absatz von Artikel 113 der Magna Carta und fügt hinzu, welches die föderalen öffentlichen Einrichtungen sind, die die vermögensrechtliche Verantwortung des Staates und die Regelung der vermögensrechtlichen Verantwortung zur Erlangung des Entschädigungsanspruchs herbeiführen können, und gibt außerdem an, dass der Bundesfinanz- und Verwaltungsgerichtshof für die Verfahren in dieser Angelegenheit zuständig sein wird (Pdrez, 2009, S. 1438)[4]

Nach der Magna Carta von 2005 wurde der Grundsatz des Verfassungsvorrangs in Artikel 113, zweiter Absatz, reformiert, und es wird davon ausgegangen, dass der Abgeordnete die Verfahrensregeln in dieser Angelegenheit festlegt und der Staat in der Lage ist, das Gesetz einzuhalten. In Anbetracht der Tatsache, dass die rechtswidrigen Handlungen der Verwaltung sich aus der vermögensrechtlichen Verantwortung des Staates ergeben und diese in der zivilrechtlichen Verantwortung verallgemeinert wurde, die sich aus den rechtswidrigen Handlungen ergibt, die in der zivilrechtlichen Gesetzgebung allgemein vorhergesagt wurden.

---

[4] Die Rechtsordnung in Verwaltungsangelegenheiten legt die Verfahren und die Grundlagen für das Recht auf Entschädigung für diejenigen fest, die ohne rechtliche Verpflichtung, sie zu tragen, infolge einer rechtswidrigen Verwaltungstätigkeit des Staates Schäden an ihrem Eigentum und ihren Rechten erleiden.

Nach Hector (2006) wird trotz der Aufnahme der objektiven und direkten zivilrechtlichen Haftung in die Magna Carta und in das Bundesgesetz über die vermögensrechtliche Haftung des Staates interpretiert, dass Personen, die aufgrund der unregelmäßigen Verwaltungstätigkeit des Staates Schäden erleiden, ohne rechtlich dazu verpflichtet zu sein, diese zu tragen, auch an ihren Gütern und Rechten, das Recht auf Entschädigung verlangen können, wobei sie nur nachweisen müssen, dass es keine rechtliche Grundlage zur Legitimierung des Schadens gibt. Es muss hervorgehoben werden, wie schwierig es war, das System der patrimonialen Verantwortung des Staates in Mexiko zu entwickeln, da die Ausübung der Verwaltungsfunktion im Rechtssystem versagt hat, während die Präsenz des Staates in der Gesellschaft zunimmt, und auch die komplexen Probleme, die von der Behörde in Verwaltungsangelegenheiten zu bewältigen sind (Torres Herrera, 2004).

Kolumbien

Im Hinblick auf die Entwicklung der staatlichen Verantwortung ist es notwendig, die verschiedenen Etappen hervorzuheben, die durchlaufen wurden und die auch aus der Sicht der Zeit betrachtet werden können, mit Schwerpunkt auf der Analyse vor dem Inkrafttreten der Magna Carta von 1991 und einer weiteren nach dem Inkrafttreten der politischen Verfassung; In dieser Charta erklärt der erste Präzedenzfall die vom Obersten Gerichtshof angegebene und vom Staatsrat zugelassene Verantwortung, und der zweite Präzedenzfall erklärt die Untersuchung der Verantwortung des kolumbianischen Staates in Bezug auf Artikel 90, der die Verfassung von 1991 spezifiziert. Jahrhundert der Oberste Gerichtshof in der Verfassung von 1886 seine Zuständigkeit für die Frage der Verantwortung des Staates gezeigt hat" (Rivera Villegas, 2003), während der Staatsrat die Frage der Verantwortung des Staates und die Erklärung der Nichtigkeit erläutert (Nader Orfale, 2010, S. 9).

Ebenso weist Nader Orfale (2010) darauf hin, dass ab 1964 die Expedition des Dekrets 528 von der streitigen Verwaltungsgerichtsbarkeit auf die allgemeine Gerichtsbarkeit zur Frage der Staatshaftung übertragen wurde, ähnlich wie bei Pinzon (2016), nur Fragen des Privatrechts, weshalb es notwendig war, die Untersuchung der vom Obersten Gerichtshof erklärten Haftung und die vom Staatsrat erklärte Haftung zu trennen.

Allerdings "außergewöhnliche Vereinbarungen des Urteils von 1898, wo die universellen Leitlinien der Haftung im Codigo Civil vereinbart wurden" (Saavedra, Ordonez, 2015). Auch betone ich in Normen, die die Verantwortung des Staates der Individuen, die Stiftung durch den Gerichtshof basiert geregelt, da es die gemeinsame und bekannte Zuständigkeit für die Konflikte, die entstanden sind (Pinzon Munoz, 2016). Meiner Meinung nach wird davon ausgegangen, dass die Anwendung der Theorie der stellvertretenden Haftung als Argument die Haftung von juristischen Personen aufzeigen sollte.

Demnach wurde nachgewiesen, dass der Staat für die Handlungen seiner Bediensteten verantwortlich ist, wenn diese nicht angemessen sind oder wenn er keine strenge Aufsicht über seine Handlungen ausübt. So hat der Oberste Gerichtshof die grundlegenden Konzepte der stellvertretenden Haftung offengelegt und die Theorie der direkten Haftung übernommen, die auf dem Zivilgesetzbuch basiert, wie aus dem Urteil von 1993[5] hervorgeht, das laut Pinzon (2016) die stellvertretende Haftung des Obersten Gerichtshofs hervorhebt.

Ebenso erläuterte der Gerichtshof die außervertragliche Haftung des Staates im Falle des Versagens der Dienstleistung, bei der das Versagen der Verwaltung als solches und nicht das persönliche Verschulden des Bediensteten unabdingbar war, so dass sie auf eine zusätzliche Ebene überging, da der Staat zur Behebung der Schäden herangezogen wurde (Rivera Villegas, 2003, S. 17).

Auch der Oberste Gerichtshof trug anfangs zur Verantwortung des Staates bei, indem er anfing, auf der Grundlage von Normen zu erklären, und sich schließlich speziell mit den Prinzipien des Privatrechts befasste, die die Grundlage für die Entwicklung der Verantwortung des Staates bildeten[6] . Daher wurde die Haftung vom Staatsrat erklärt und der streitigen Verwaltungsgerichtsbarkeit die Zuständigkeit übertragen, über Streitigkeiten im Zusammenhang mit der Haftung der Verwaltung zu entscheiden (Rivera Villegas, 2003, S. 18).

Folglich erklärt die Verwaltungsrechtsprechung von (1991), dass Fortschritte in den verschiedenen Verantwortungsregimen gemacht wurden, weshalb es notwendig ist, die Aussagen in Artikel 90 der Magna Carta zu beobachten, um zu wissen, ob es wirklich eine wesentliche Änderung in den Aussagen über die Verantwortung des Staates gab. Andererseits argumentiert Riveras (2003), dass der Verfassungsgebenden Versammlung sechsundzwanzig Projekte vorgelegt wurden, die sich auf die Verantwortung des Staates bezogen, aber nicht alle wurden als Prinzipien betrachtet, da viele von ihnen nicht auf dieses Thema ausgerichtet waren, da "die Einführung eines Artikels, der sich auf die direkte und objektive Verantwortung des Staates bezieht, offensichtlich notwendig war" (Rivera Villegas, 2003). (Rivera Villegas, 2003, S. 20).

Die Magna Carta unterstreicht in ihrem Artikel 90 von 1991, dass sie mit dem Begriff des Schadens argumentiert und ihn als Vermögensnachteil definiert, der eine Person betrifft, sofern sie nicht gesetzlich verpflichtet ist, ihn zu tragen. Andererseits "stützt sich die Konstituante auf die

---

[5] Sie erklärt auch die auf culpa in eligendo und culpa in vigilando basierende Theorie, die die indirekte Haftung des Staates für das schlechte Funktionieren der öffentlichen Dienste in den Bereich der Haftung gestellt hat, (...), wobei diese Art der Haftung jedoch nicht genau der außervertraglichen zivilrechtlichen Haftung juristischer Personen des öffentlichen Rechts entspricht, sondern in diesen Fällen keine Autoritätsschwäche oder fehlende Aufsicht und Sorgfalt vorliegt, die aufgrund der Handlungen anderer auftritt, wird sie im Einklang mit verfassungsrechtlichen Argumenten verstanden.

[6] Ebenso wird erklärt, dass die Haftung des Staates nicht auf der Grundlage der zivilrechtlichen Normen, die die außervertragliche Haftung regeln, untersucht und entschieden werden kann, sondern vielmehr mit den Grundsätzen und Lehren des Verwaltungsrechts in Bezug auf die wesentlichen Unterschiede, die zwischen diesem und dem Zivilrecht bestehen, entsprechend den Sachverhalten, die beide Rechte regeln, zu verfolgen ist.

Verantwortung des Staates, und beim objektiven Grundsatz der Rechtswidrigkeit ist das Vorhandensein eines rechtswidrig verursachten Schadens entscheidend, im Gegensatz zur subjektiven Theorie, bei der es auf den rechtswidrig verursachten Schaden ankommt"[7] . (Rivera Villegas, 2003, S. 22).

Seit dem Erlass der Magna Carta von 1991 und dem gegenwärtigen Artikel 90[8] ist die Verpflichtung des Staates zur Entschädigung festgelegt, und nach den Vorstellungen von (Gomdz Sierra, 2010) basiert das Rechtsprinzip auf den Quellen der außervertraglichen Haftung des Staates. Folglich bekräftigt (Rivera Villegas, 2003, S. 23), dass die Grundlage der patrimonialen Verantwortung in der Pflicht des Staates besteht, die Menschenrechte zu schützen und ihren wirksamen Schutz zu gewährleisten, da sie nicht durch Schäden und Verletzungen verletzt werden können, die die Gleichheit der Bürger angesichts der öffentlichen Lasten verändern.

Außerdem ist darauf hinzuweisen, dass einer der "wichtigsten Präzedenzfälle, die zur Staatshaftung geführt haben, das weiße Urteil[9] war, das in Frankreich vom Gerichtshof für Streitigkeiten im Jahr 1873 verkündet wurde" (Hector, 2006, S. 14). 14), wird die Grundlage der außervertraglichen Haftung des Staates vom Grundsatz der zivilrechtlichen Haftung unter Bezugnahme auf den Code Napoléon abgegrenzt, denn um die Struktur eines spezifischen Regimes der Staatshaftung zu beginnen, wird davon ausgegangen, dass das Urteil ein Weg für die Rechtsprechung war, andere Regeln als die des Zivilgesetzbuches aufzustellen, um den Staat für seine Handlungen oder Unterlassungen haftbar zu machen, Regeln, die anders auf Privatpersonen anwendbar sein werden. Ebenso "besteht die rechtswissenschaftliche Entwicklung aus verschiedenen Regimen, die das Konzept der Verantwortung des Sozialstaates im Rahmen der Rechtsstaatlichkeit angepasst haben und dass er auch für alle Schäden aufkommen muss" (Meneses Mosquera, 2000).

Daher war "die erste Phase die Entwicklung der französischen Rechtsprechung zur Haftung des Staates und des Zivilgesetzbuches" (Hector, 2006, S. 16). Es wird erwähnt, dass innerhalb dieses Regimes das Verschulden des Agenten die juristische Person voraussetzt, diese Idee entspricht dem Unterschied, der sich in der zivilrechtlichen Haftung in Bezug auf die Haftung in eligendo in vigilando entwickelt hat, dann wurden zwei grundlegende Thesen entworfen: direkte Haftung und

---

[7] So wie die Analyse von Rivera (2003) verstanden wird, beschränkt sich die Regelung, die in der Frage der vermögensrechtlichen Verantwortung des Staates aufgedeckt wird, nicht nur auf ihre Grundlage auf Verfassungsebene, sondern sie umfasst auch die neuen Kriterien in diesem Bereich, Es löst auch die Situation, die heute als Unzulänglichkeit des Versagens im öffentlichen Dienst argumentiert wird, sowie die aktuellen Formen und Fälle der vermögensrechtlichen Verantwortung, sowie den Fall der Verantwortung für besondere Schäden.

[8] Auch in der politischen Verfassung von 1991 heißt es in Artikel 90, dass die Regierung für die durch ihre Macht verursachten unrechtmäßigen Schäden entschädigt werden muss.

[9] Das Urteil ist insofern wichtig, als es den Weg für eine besondere Gerichtsbarkeit ebnet, die über die Handlungen des Staates urteilt.

indirekte Haftung. Hector, (2006) zeigt auf, worin diese bestand:

Erstens, die Haftung für fremdes Verschulden

Damit wurden erstmals juristische Personen des privaten und öffentlichen Rechts anerkannt, und zwar auf der Grundlage des Verschuldens des Beamten oder Angestellten der juristischen Person für den Fall, dass einem Dritten in Ausübung seiner Funktion ein Schaden zugefügt wurde.

> Ebenso argumentiert Hdctor, (2006) in der Hauptthese die Idee, dass eine juristische Person die Verpflichtung hatte, ihre Agenten zu wählen und sie sorgfältig zu überwachen, so dass diese, in Fehler bei der Ausübung ihrer Positionen betroffen die juristische Person in Anbetracht, dass dies auch in Fehler, entweder in der Fehler in eligendo, was bedeutet, Fehler in der Wahl oder in der Fehler in vigilando, es ist in der Fehler in der Wachsamkeit verstanden. (S. 18).

Der berühmte Nader (2010) erklärt in seiner Stellungnahme, dass sich die Erklärung auf das Zivilrecht stützt (...), wo die indirekte Haftung für die Rechte anderer begründet ist. Im Gegenteil, die kolumbianische Rechtsprechung von 1898 erkannte die Haftung von moralischen Personen weder im privaten noch im öffentlichen Recht an, da weder das Gesetzbuch von Bello noch andere Gesetze des vorigen Jahrhunderts die Haftung anerkannten.[10]

Zweitens: direkte Verantwortung.

In der Zwischenzeit hat die ordentliche und die Zivilgerichtsbarkeit nach der Anwendung der These der stellvertretenden Haftung begonnen, von verschiedenen Teilen der juristischen Gesellschaft kritisiert zu werden (Nader Orfale, 2010, S. 5), und weist auf mehrere Gegner hin, die ihre Ablehnung der These und der Wahl mit folgenden Argumenten begründen:

1) Das Konzept des "in eligendo" stieß jedoch auf Widerspruch, da nicht alle Beamten vom Staat gewählt wurden, sondern im Gegenteil einige von den Gesellschaftern auferlegt wurden, wie z. B. die vom Volk gewählten Beamten.
2) Da es nicht möglich war, einen Bruch zwischen dem Staat und seinen Akteuren herbeizuführen, da erstere in ihren verschiedenen Handlungsformen notwendigerweise durch letztere zustande kommen mussten, war der Staat für die Auswirkungen seiner Handlungen unmittelbar verantwortlich.[11]

In Übereinstimmung mit dem oben Gesagten begannen die Obergerichte unserer Gerichtsbarkeit, die

[10] Infolgedessen hat das höchste Gericht der Verwaltungsgerichtsbarkeit die Entwicklung der Verantwortung des kolumbianischen Staates durch die Rechtsprechung des Staatsrates und der Dritten Kammer des Verwaltungsgerichtshofes mit dem Vortrag des Richters Jorge Valencia Arango dargestellt.

[11] In der zweiten Argumentation wurden die juristische Person und ihre Bevollmächtigten als eine Einheit betrachtet, so dass das Verschulden ihrer Bevollmächtigten dem Verschulden des Staates selbst entsprach, und folglich wurde das Zivilrecht als Grundlage beibehalten, aber in diesem Fall war der Ausgangspunkt Artikel 2341.

Grundlagen der Theorie der direkten Haftung zu schaffen, die speziell als Haftung für eigene Handlungen bezeichnet wird.

In diesem Sinne stellte der Oberste Gerichtshof fest, dass die zivilrechtliche Haftung für rechtswidrige Handlungen nicht nur für die natürliche Person gilt, sondern auch für die juristische Person für die Handlungen ihrer rechtmäßigen und uneingeschränkten Vertreter bei der Ausübung ihrer Pflichten. Daher haben die Vertreter der juristischen Person bei der Ausübung ihrer Funktionen und Befugnisse Maßnahmen durchgeführt, die die Interessen und vor allem das Eigentum anderer schädigen, da sie verpflichtet sind, den Schaden zu ersetzen. Folglich fügt Nader Orfale (2010) hinzu, dass juristische Personen für die Handlungen ihrer Vertreter in Ausübung ihrer Funktion oder ihres Amtes verantwortlich sind.

Der Oberste Gerichtshof, der bis 1964 für diese Art von Prozessen zuständig war, ändert daher das Kriterium der indirekten Haftung und bestätigt schließlich, dass die Haftung des Staates direkt ist, wobei er sich nicht mehr auf die Magna Carta von 1886, sondern auf die Verfassung von 1991 beruft, dann ist die Theorie des Dienstversagens die Hauptgrundlage für die finanzielle Haftung des Staates (Nader Orfale, 2010, S. 6). 6) Auf der anderen Seite ist es notwendig, die Präzedenzfälle des Staatsrats hervorzuheben, die in einer ersten Phase die Position der Unverantwortlichkeit des Staates für Handlungen mit Rechtsprechungscharakter unterstützt haben.

Daraus ergeben sich die ersten Schritte zur Schaffung einer neuen Theorie, die sich auf eine andere Form der staatlichen Verantwortung stützt und deren Analyse auf einer Beurteilung der Handlungen der Verwaltung beruht (Maryse, 2010).

Theorie der Störung oder des Ausfalls des Dienstes.

In Übereinstimmung mit den früheren Verhältnissen in Kolumbien wurde eine These aufgestellt, die sich auf die Theorie des öffentlichen Dienstes stützt und die auch in Europa in der Nachkriegszeit zu finden war, die sogenannte Theorie des Fehlers oder Versagens im Dienst, erklärt Nader (2010) die Unterstellung, die darin besteht, dass eine öffentliche Person nicht so gehandelt hat, wie sie es in einem bestimmten Fall hätte tun sollen.

Nach der Rechtsprechung des Staatsrates zeigt sich, dass die vom Staat oder einer anderen öffentlich-rechtlichen Körperschaft erbrachten Leistungen versagen, "was erstens zur Feststellung der Haftung und zweitens zur Verurteilung zur Zahlung von Schadenersatz führt", und zwar immer dann, wenn sie mit einem Mangel behaftet sind oder einer Person ein Schaden zugefügt wird (Nader Orfale, 2010, S. 8), d.h. wenn der Staat den Rahmen der den Einwohnern Kolumbiens unterbreiteten öffentlichen

Abgaben sprengt.[12]

Daher wird die gemeinsame Quelle der staatlichen Verantwortung erwähnt:

1. Fehler oder Versäumnis der Zustellung durch Unterlassung, Verspätung, Unregelmäßigkeit, Unwirksamkeit oder Ausbleiben der Zustellung, wenn der Fehler oder das Versäumnis nicht auf das persönliche Verschulden des Verwaltungsbediensteten, sondern auf das Verschulden oder Versäumnis der Zustellung oder das anonyme Verschulden der Verwaltung zurückzuführen ist.
2. Dies bedeutet, dass die Verwaltung gehandelt oder es unterlassen hat, zu handeln, so dass Handlungen des Bevollmächtigten, die außerhalb des Dienstes liegen, ausgeschlossen sind.
3. Ein Schaden bedeutet also die Verletzung oder Beeinträchtigung eines verwaltungsrechtlich geschützten Vermögenswertes, der mit den allgemeinen Merkmalen des Privatrechts für einen ersatzfähigen Schaden versehen ist.
4. Der Kausalzusammenhang zwischen dem Versagen der Verwaltung und dem Schaden ist hingegen nicht mehr gegeben, sobald das Fehlen oder Versagen der Dienstleistung nachgewiesen ist.

Ebenso ist die Anwendung des öffentlichen Rechts im Bereich der Verwaltungshaftung durch die Theorie des Verschuldens oder des Versagens der Dienstleistung verankert und "bildete daher bis zum Inkrafttreten der Verfassung von 1991 die primäre Grundlage der Staatshaftung" (Nader Orfale, 2010, S. 9), während die politische Verfassung von 1991 der Rechtsgesellschaft mit dem Konzept des rechtswidrigen Schadens ein neues Kriterium für die Definition der Staatshaftung liefert.

So hat die Theorie des Verschuldens oder der Nichtleistung ihre Grundlage im französischen Recht, während der rechtswidrige Schaden im spanischen Recht verankert ist und die verfassungsrechtliche Unterstützung in der kolumbianischen Magna Carta zu finden ist, und andererseits "die Rechtswidrigkeit des Schadens als Kriterium für die Feststellung der Verantwortlichkeit des Staates ihre Grundlage in Artikel 90 der politischen Verfassung hat", (Nader Orfale, 2010, S. 10).

Gemäß Artikel 90 der Verfassung, in dem festgelegt ist, dass der Staat für das Eigentum infolge eines von ihm verursachten rechtswidrigen Schadens aufkommen muss, grenzt der Begriff des rechtswidrigen Schadens den Begriff der Verletzung eines berechtigten Interesses am Eigentum insofern ab, als der Geschädigte nicht rechtlich verpflichtet ist, ihn zu tragen; Damit die Schuld an

[12] Außerdem hat das oberste Gericht für Verwaltungsstreitigkeiten in einer Art Rechtsprechung einige Aspekte erarbeitet, um die Verantwortung des Staates auf der Grundlage der Theorie des Verschuldens, des Mangels oder des Versagens der Dienstleistung zu trainieren, d.h. wenn der Staat in der Entwicklung seiner Funktionen den sogenannten Mangel oder das Versagen der Dienstleistung verursacht, da es sich auf Unterlassungen und Verwaltungshandlungen bezieht.

einer rechtswidrigen Schädigung festgestellt werden kann, sind zwei Voraussetzungen erforderlich: das Vorliegen einer rechtswidrigen Schädigung und die Zurechenbarkeit dieser Schädigung zu einer Person des öffentlichen Rechts, so dass diese Voraussetzungen in der Theorie Elemente der Schuld darstellen.

> Auf der anderen Seite haben das Verfassungsgericht und der Staatsrat einen rechtswissenschaftlichen Argumentationsprozess aufgebaut, der, soweit er die Theorie des rechtswidrigen Schadens als Grundlage für die Haftung des Staates unterstützt, aus den Ansätzen, deren Spielraum sie im Wesen der Rechtswidrigkeit abgrenzen, Elemente normativer Natur aufgenommen hat, die mit den verfassungsrechtlichen Grundsätzen und Werten einhergehen und die auch zur Literatur über das Haftungsmodell[13] beitragen. (Nader Orfale, 2010, S. 11).

Aus den oben genannten Rechtsprechungs- und Lehrinstrumenten geht hervor, dass die Haftung für rechtswidrige Schäden einen Fortschritt bei der Anerkennung der Rechte und Garantien jedes Einzelnen darstellt, dessen Entwicklung sich auf den nationalen Rahmen konzentriert, (Flores Trujillo, 2010), und andererseits betont die politische Verfassung von (1991) die Verantwortung des Staates Artikel 90 und wird in den Verfassungsrang erhoben "abgeleitet von den antijuridischen Schäden, die dem Staat zuzurechnen sind, die durch das Handeln oder Unterlassen der Behörden verursacht wurden" (Maryse, 2010, S. 30), und die Auslegung der Verfassung von (1991), betont die Verantwortung des Staates Artikel 90 und wird in den Verfassungsrang erhoben "abgeleitet von den antijuridischen Schäden, die dem Staat zuzurechnen sind, die durch das Handeln oder Unterlassen der Behörden verursacht wurden" (Maryse, 2010, S. 30), und die Auslegung der Verantwortung des Staates basiert auf dem Prinzip, dass der Staat für die Schäden verantwortlich ist, die durch das Handeln oder Unterlassen der Behörden verursacht wurden. (Maryse, 2010, S. 30), und die Auslegung dieser Norm bezieht sich insbesondere auf den ungerechtfertigten Freiheitsentzug, während der Staatsrat, Dritte Sektion, hinzufügt, dass sich die Verantwortung aus der Definition des rechtswidrigen Schadens ergibt, d.h. "wenn die inhaftierte Person rechtlich verpflichtet war, diesen Entzug zu ertragen, unabhängig von der Rechtswidrigkeit der Entscheidung, die als Grundlage diente, wobei diese Auslegung erst Jahre nach der Verordnung bekannt wurde" (Urteil, 14408, 2006).

Andererseits trat 2001 die erste gesetzliche Regelung der Verantwortlichkeit des Mandatsträgers für rechtswidriges Verwaltungshandeln, das sich an Personen richtet, denen die Freiheit entzogen wurde, das Gesetzesdekret 2700 von 1991, in Kraft. Dann, "im Jahr 1994, begann der Staatsrat die juristische Linie festzulegen, die in seinen Urteilen als Meilenstein betrachtet wird, und eine erste Interpretation

[13] Der Staatsrat legt in Artikel 90 der Verfassung einen allgemeinen Grundsatz der vermögensrechtlichen Haftung des Staates fest, der sowohl die vertragliche als auch die außervertragliche Haftung umfasst, und leitet daraus ab, dass dies zwei unerlässliche Elemente für die Feststellung der vermögensrechtlichen Haftung des Staates sind.

manifestiert sich im Gründungsurteil"[14] (Gutidrrez, 2017), und anschließend im Urteil von 1992 und im Urteil von 1994 (Flores Trujillo, 2010)". Es ist hervorzuheben, dass die jüngsten Fortschritte bei der Verantwortung des Staates für ungerechtfertigten Freiheitsentzug im Urteil 11368 aus dem Jahr 2006 erklärt werden" (Maryse, 2010, S. 33), es wird davon ausgegangen, dass die Intervention der Regierung die erste Grundlage ist, um sie für den Schaden verantwortlich zu machen, der durch ihre Handlungen oder die Unterlassung öffentlicher Dienstleistungen verursacht wurde.

In Bezug auf Artikel 90 der Magna Carta (1991) hat die Regierung die Verantwortung für die unrechtmäßigen Schäden übernommen, die durch rechtswidrige Handlungen und Unterlassungen der Verwaltung verursacht wurden, und hat damit faktisch die Schuld und das Mandat übernommen, wodurch der Dritte Abschnitt manifestiert wird, der das Problem der Schuld des Verwaltungshandelns und des rechtswidrigen Funktionierens des öffentlichen Dienstes verdrängt.

In Artikel 90 der Verfassung (1991) heißt es::

1. Es wird eine Form der institutionellen Haftung eingeführt, die Schäden abdeckt, die von einer Behörde verursacht werden.
2. Auch ein rechtswidriger Schaden, der durch einen Ausfall der Dienstleistung entsteht.
3. Und schließlich muss sie der Behörde durch eine Handlung oder Unterlassung zurechenbar sein.

Andererseits argumentiert auch Hector (2006) in Bezug auf das Blanco-Bananero-Urteil von 1976, das die Entwicklung der direkten und indirekten Haftung bis hin zum Konzept des Dienstversagens, der verschuldensunabhängigen Haftung und der verschuldensunabhängigen Haftung einleitete (Celemin, Reyes & Roa, Valencia, 2004, S. 5), über die Fragen der außervertraglichen Haftung des Staates von ihrer Entstehung bis zu ihrer Entwicklung.

Haftung, (Verschulden). Service Failure, Kausalzusammenhang und Schaden[15] .

Der Schaden wird als Beeinträchtigung oder Nachteil verstanden, den eine Person erleidet und der sowohl vermögensrechtlicher als auch außervertraglicher Natur sein kann. Andererseits bekräftigt

[14]Unter richtungsweisenden Urteilen versteht man solche, in denen das Verfassungsgericht versucht, das Verfassungsrecht mit Autorität zu definieren; Diese Urteile haben ihren Ursprung in Änderungen innerhalb der Linie und in der Befugnis des Gerichtshofs, frühere Urteile zu revidieren, d.h. nach der Untersuchung und Analyse der realen Fragen, die die Verfassungsrichter vorlegen, legen sie Kriterien fest; andererseits wird durch den dominierenden Satz erklärt, dass es sich im Allgemeinen um Urteile handelt, die in den Jahren 1991-1992 gefällt wurden, der Gerichtshof nutzt seine ersten Revisionsurteile, um die verfassungsmäßigen Rechte kraftvoll und weit auszulegen, d.h. es sind diese Urteile, die aktuelle und vorherrschende Kriterien enthalten, in der Tat löst der Verfassungsgerichtshof Interessenkonflikte innerhalb eines bestimmten Verfassungsgesetzes.

[15] Aus den obigen Ausführungen wird deutlich, dass die Begriffe "via de facto" und "Verwaltungshandeln" einander entgegengesetzt sind. Es wird behauptet, dass das Handeln der Verwaltung rechtswidrig sein muss, da die Regelung in erster Linie auf dem Versagen des Dienstes beruht, ungeachtet der Bestimmungen von Artikel 90 der geltenden politischen Verfassung.

Hector (2006), dass der Schaden bestimmte Merkmale erfüllen muss, um eine Haftung auszulösen, d. h. der Schaden muss sicher, persönlich, rechtswidrig und wirtschaftlich quantifizierbar sein. Das heißt, dass der rechtswidrige Schaden die Person hervorhebt, die den Schaden erleidet und nicht rechtlich verpflichtet ist, ihn zu tragen; der Schaden, der durch die Handlung oder Unterlassung der Verwaltung verursacht wird, ist nicht durch einen Grund für die Rechtfertigung von Steuern gedeckt, kurz gesagt, der Schaden wird wirtschaftlich für die Auswirkungen der Entschädigung geschätzt (S. 28). Ebenso erklärt der Kausalzusammenhang nach Meneses Mosquera (2000), dass ein Kausalzusammenhang zwischen dem Verhalten der Verwaltung und dem entstandenen Schaden bestehen muss, und zwar so, dass letzterer eine Folge des ersteren ist; in dieser Hinsicht geht Hector (2006) davon aus, dass der Kausalzusammenhang in der Theorie der effizienten Ursache vorherrscht, die als das Ereignis verstanden wird, das geeignet ist, den Schaden zu verursachen. (p.31)

Die außervertragliche Haftung des Staates wird als eine rechtliche Verpflichtung des Staates verstanden, den verursachten Schaden zu ersetzen, und es handelt sich um eine faktische Beziehung, die den Schaden hervorruft, so dass der Staat das aktive Subjekt des Schadens und das Opfer das passive Subjekt ist, das ihn unterstützt, so dass "die kolumbianischen Autoren und Gerichte ein fortschrittliches System der Staatshaftung aufgebaut haben, bis zu dem Punkt, dass das System der Staatshaftung Regeln der verschuldensunabhängigen Haftung hatte" (Meneses Mosquera, 2000, S. 8). (Meneses Mosquera, 2000, S. 8).

2. Contexto Juridico de Responsabilidad Patrimonial del Estado por Privacion de la Libertad en Mexico y Colombia.

Mexiko besteht aus 32 Bundesstaaten, ist eine föderale Mehrparteienrepublik mit einem gewählten Präsidenten und einer Zweikammer-Legislative, und die Bundesregierung vertritt die Vereinigten Mexikanischen Staaten und ist gemäß der politischen Verfassung der Vereinigten Mexikanischen Staaten von 1917 in die drei Zweige Exekutive, Legislative und Judikative unterteilt. Infolgedessen wurde im Jahr 2002 ein Mechanismus in das Rechtssystem aufgenommen, der die "objektive und direkte" Haftung vorsieht, um den Einzelnen für Schäden zu entschädigen, die durch die rechtswidrige Verwaltungstätigkeit des Staates verursacht wurden, wie es im zweiten Absatz von Artikel 113 der Verfassung und dem dazugehörigen Gesetz heißt, das jedoch einige Einschränkungen in seiner Anwendung vorsieht; Die objektive Verantwortung ergibt sich ebenfalls aus der von der Person ausgeübten Tätigkeit, während sich die subjektive Verantwortung aus dem unterlassenen Verhalten ergibt, dennoch qualifiziert die Verfassung sie als objektiv und direkt, basierend auf der Reform des Artikels 113 der Verfassung, speziell mit der Verantwortung des Staates für die Schäden, die an den Gütern und Rechten der Personen verursacht werden. (Mosri Gutidrrez, 2015, S. 5).

Mit der Verabschiedung des neuen Paradigmas im Bereich der Menschenrechte durch den mexikanischen Staat zeigt die Verfassungsreform von 2011 außerdem, dass es notwendig ist, ihre Anwendung zu überdenken, und seit der Veröffentlichung des Allgemeinen Opfergesetzes im Jahr 2013 bietet es Einzelpersonen zusätzliche Wiedergutmachungsmaßnahmen für Fälle, in denen sie infolge der Begehung eines Verbrechens oder der Verletzung ihrer Menschenrechte einen Schaden oder eine Gefährdung ihres Rechtsguts oder ihrer Rechte erlitten haben. Im Hinblick auf die Verfassungsreform (2011) erheben die Menschenrechte die internationalen Verträge in den Rang einer Verfassung, da die Aufnahme der Wiedergutmachung des Schadens in den ersten Artikel "eine grundlegende Leitlinie im Rahmen der Untersuchung und Analyse der Rechte darstellt" (Esparza Martinez, 2015). (Esparza Martinez, 2015). Einerseits "legt er die Verpflichtung des Staates fest, den durch Menschenrechtsverletzungen verursachten Schaden zu beheben, und andererseits erhebt er internationale Verträge in den Rang einer Verfassung" und verpflichtet den Richter, die Wiedergutmachung des Schadens zu untersuchen und zu konzipieren. (Mosri Gutidrrez, 2015, S. 6). Folglich wurde Mexiko in den Urteilen des Interamerikanischen Gerichtshofs für Menschenrechte verurteilt, wie z. B. Gonzalez y Otras (Campo Algodonero) gegen Mexiko und Radilla Pacheco gegen die Vereinigten Mexikanischen Staaten. Mosri, Gutidrrez (2015) stellt fest, dass in den letzten sechs Jahren im Rahmen der von der Zivilgesellschaft geförderten öffentlichen Agenda gegen Gewalt in Mexiko das Allgemeine Opfergesetz verabschiedet wurde, das die Rechte der Opfer von Verbrechen und Menschenrechtsverletzungen anerkennt und garantiert und auch Maßnahmen zur Wiedergutmachung vorsieht, Rehabilitierung, Entschädigung, Genugtuung und Garantien für die Nichtwiederholung durch den Staat und zugunsten der Opfer, die folglich "im Sinne des Gesetzes die Schädigung oder den Verlust ihrer Rechte in ihrer individuellen, kollektiven, materiellen und moralischen Dimension anerkennen und infolgedessen in umfassender Weise wiederhergestellt werden" (Mosri Gutidrrez, 2015, S. 9), kongruent in dem Sinne, dass "der Staat für die Wiederherstellung der Rechte der Opfer verantwortlich ist" (Mosri Gutidrrez, 2015, S. 9). 9), in Übereinstimmung mit der Verfassungsreform von 2011 zu den Menschenrechten, zeigt, dass Mexiko die Prävention, Untersuchung, Bestrafung und Wiedergutmachung von Menschenrechtsverletzungen in den Bestimmungen des Gesetzes anerkennt.

Chiapas

Dementsprechend weist Castro Estrada (2017) darauf hin, dass das Recht auf Entschädigung oder Wiedergutmachung die rechtliche Verpflichtung des Staates ist, die Schäden zu kompensieren, die als Folge einer rechtswidrigen oder schädlichen Verwaltungstätigkeit im Vermögen von Personen entstanden sind, die nicht die rechtliche Pflicht haben, diese zu tragen, und wird als Entschädigung bezeichnet.

In Anbetracht dessen gilt im mexikanischen Bundesstaat Chiapas, der im Süden des Landes liegt, das Allgemeine Opfergesetz nicht, obwohl für seine Anwendung eine interne Regelung erforderlich ist, und daher gibt es auf lokaler Ebene keine Gesetzgebung, die das Recht auf Entschädigung regelt, da angesichts dieses Problems "der Schaden, der dem Eigentum und den Rechten von Personen durch irreguläre Verwaltungstätigkeit zugefügt wird, nicht geregelt ist" (Castro Estrada, 2017, S. 11). Gleichzeitig gibt es ein Bundesgesetz über die Verantwortung des Staates für sein Vermögen, das keine auf den Staat anwendbare Regelung enthält, und es ist erwähnenswert, dass die öffentlichen Einrichtungen des Bundesstaates Chiapas keine Zuständigkeit im Rahmen des genannten Gesetzes haben.

Andererseits erkennt die politische Verfassung der Vereinigten Mexikanischen Staaten in Artikel 113, zweiter Absatz, das Recht des Einzelnen auf eine gerechte Entschädigung an, "wenn der Staat durch rechtswidriges Verwaltungshandeln seiner Bediensteten materielle oder immaterielle Schäden an seinem Vermögen verursacht" (Castro Estrada, 2017, S. 17). 17), so dass die Auslegung nach dem Grundsatz pro persona gemäß Artikel 1 Absatz 2 der Verfassung erfolgt, und wenn es im Staat kein Gesetz gibt, wird dies ergänzend angewandt, da es keine Rechtsvorschriften über die finanzielle Verantwortung des Staates gibt.

Die Personen, die eine Verwaltungsklage einreichen, um das Recht auf Entschädigung zu erhalten, stoßen auf Einschränkungen und Hindernisse, da die Justizverwaltungen sich für unzuständig erklären, das Verfahren verzögern und die geforderte Handlung verweigern, so dass es keine Gesetzgebung gibt, die das Recht auf Entschädigung garantiert, und die Medien die tatsächliche Situation dieser Personen nicht bekannt machen, da die Regierung die Medien beeinflusst. Wenn alle internen Instanzen ausgeschöpft sind, kann man sich an internationale Mechanismen wenden. In dieser Situation ist es im mexikanischen Bundesstaat Chiapas notwendig, Modelle des Rechtsschutzes einzuführen, die das Recht auf Entschädigung garantieren. Gegenwärtig gibt es systematische Muster von Menschenrechtsverletzungen gegenüber Opfern, die aufgrund irregulärer Verwaltungstätigkeit ihrer Freiheit beraubt wurden, und infolgedessen wird der Zugang zur Justiz gesucht, um das Recht auf Entschädigung zu erhalten.

Kolumbien

Gegenwärtig ist das Land als Präsidialsystem und Einheitsstaat konstituiert, während die Magna Carta (1991) eine Gewaltenteilung zwischen Exekutive, Legislative und Judikative vorsieht; auch territorial ist es hauptsächlich in Departements, Gemeinden und Bezirke gegliedert. Weitere besondere Unterteilungen sind die Provinzen, die indigenen Gebietskörperschaften und die kollektiven Territorien.

Seit der Verabschiedung der Politischen Charta im Jahr 1991 und insbesondere des Artikels 90 bildet der Begriff des "rechtswidrigen Schadens" die Grundlage für die vermögensrechtliche Haftung des Staates, wobei sich eine Vielzahl von Kriterien, Meinungen und Theorien über die Art oder den Typ der Haftung herausgebildet hat, die die Verfassungsnorm, d. h. das Haftungsregime, das Artikel 90 der Politischen Charta festlegt, ausmachen.

Demnach basiert die kolumbianische verfassungsrechtliche Einstufung in erster Linie auf einem allgemeinen Grundsatz der vertraglichen und außervertraglichen Haftung des Staates, und in diesem Zusammenhang heißt es in der Magna Carta (1991) in Artikel 90, dass die Regierung für die zurechenbaren unrechtmäßigen Schäden aufkommen muss, das heißt, ohne Unterscheidungen zu machen, eröffnete sie die Veranstaltung, um das Mandat für die Vermögenswerte, "einschließlich der Justiz, für Handlungen oder Unterlassungen, die Schäden für Einzelpersonen verursachen, verantwortlich zu machen" (Prato Ramirez, 2016). (Prato Ramirez, 2016). Auch Gonzalez Noriega (2017) weist darauf hin, dass die Grundlage der vermögensrechtlichen Haftung des Staates in Artikel 90 der Magna Carta zu finden ist, unabhängig davon, ob es sich um eine vertragliche oder außervertragliche Haftung handelt.

Nach den kolumbianischen Rechtsvorschriften, in Übereinstimmung mit den Bestimmungen des Statuts der Justizverwaltung, Gesetz 270, (1996), ist in Artikel 65 die Möglichkeit verankert, dass der Staatsrichter für die Ausübung seiner Funktionen auf drei verschiedene Arten außervertraglich haftbar gemacht werden kann: i) für Personen, die zu Unrecht ihrer Freiheit beraubt wurden, ii) für einen zu Unrecht verurteilten Angeklagten und für die fehlerhafte Anwendung des Rechts durch die Verwalter der Macht, "was die normative Einheit dieses Titels der Zurechnung unterstreicht". (Pinzon Munoz, 2016).

Andererseits hat der oberste Verwaltungsgerichtshof in seiner Rechtsprechung in Bezug auf die Ereignisse, in denen die Schuld der Regierung und des Richters diskutiert wird, "ein Dogma umrissen, das sich heute allgemein an der Theorie des besonderen Schadens orientiert" (Pinzon Munoz, 2016, S. 184), d.h. unter einer Formel der objektiven Zurechnung, da es sich um eine legitime Tätigkeit handelt, die von den staatlichen Organen ausgeübt wird, deren Aufgabe die Verfolgung von Straftaten ist, verursacht sie manchmal Schäden, zu deren Zahlung die Verwalteten nicht verpflichtet sind. 184), d.h. unter einer Formel der objektiven Zurechnung, da es sich um eine legitime Tätigkeit handelt, die von staatlichen Organen ausgeübt wird, deren Aufgabe die Verfolgung von Straftaten ist, verursacht sie manchmal Schäden, die die Verwalteten nicht zu tragen haben.

Demnach ist "Kolumbien der Ansicht, dass die Verantwortung des Staates für ungerechtfertigten Freiheitsentzug auf administrativem Wege wiedergutgemacht werden muss" (Prato Ramirez, 2016, S. 13), was der Staat durch verschiedene Gremien und Einrichtungen mit dem Ziel gefördert hat,

Leitlinien zu erarbeiten und Aspekte des ungerechtfertigten Freiheitsentzugs zusammenzuführen und die Zahlung hoher Entschädigungssummen zu mildern.

In seiner Dissertation stellt Prato Ramirez (2016) fest, dass der kolumbianische Staat derzeit mit unzähligen Verwaltungsklagen wegen ungerechtfertigter Freiheitsberaubung konfrontiert ist und "die schwache Straf- und Ermittlungspolitik der Justizakteure, die die Sicherungsverwahrung als vorweggenommene Strafe einsetzt, zu späteren Klagen gegen den Staat führt". (Prato Ramirez, 2016, S. 14).

Nach Gonzalez Noriega (2017) liegt bei einer ungerechtfertigten Inhaftierung eine patrimoniale Verantwortung des Staates vor, und er erklärt auch, dass eine Inhaftierung ungerecht ist, wenn einer Person die Freiheit entzogen und sie anschließend freigesprochen wurde, da dies eine Situation ist, in der sie rechtlich nicht verpflichtet ist, einen Schaden zu tragen, Prato Ramirez (2016) stellt ebenfalls fest, dass es bei einer ungerechtfertigten Inhaftierung nicht notwendig ist, die Rechtmäßigkeit oder Unrechtmäßigkeit des Verhaltens des Staates zu untersuchen, sondern dass es notwendig ist, die Situation zu prüfen, in der das Opfer eine ungerechtfertigte Verurteilung erlitten und einen unrechtmäßigen Schaden erlitten hat, der der Regierung zuzuschreiben ist.

3. Freiheitsentzug aufgrund staatlicher Verantwortung und das Recht auf Entschädigung in internationalen Instrumenten und Vorschriften in Mexiko und Kolumbien

Mexiko

Seit dem elften Juni zweitausendelf verfügt Mexiko über einen neuen Verfassungstext zu den Menschenrechten, die im mexikanischen Rechtssystem anerkannt, geschützt, respektiert und garantiert werden, und insbesondere das Recht auf Entschädigung in der Amerikanischen Menschenrechtskonvention (1969) besagt, dass jeder das Recht hat, im Falle einer Verurteilung nach dem Gesetz entschädigt zu werden; außerdem basiert es auf Artikel 10, und in "Artikel 8 und 25 sind mit den gerichtlichen Garantien und dem gerichtlichen Schutz der Menschenrechte verbunden" (Interamerikanischer Gerichtshof für Menschenrechte, 2017), diese beiden Artikel gelten für jede Situation, in der der Inhalt und der Umfang der Rechte einer Person, die der Rechtsprechung des Staates unterliegt, bestimmt wird. (Interamerikanischer Gerichtshof für Menschenrechte, 2017) gelten diese beiden Artikel für jede Situation, in der Inhalt und Umfang der Rechte einer Person, die der Rechtsprechung des Staates unterliegt, festgelegt werden. Im Internationalen Pakt über bürgerliche und politische Rechte wird in den Artikeln 9 und 14 auf die Freiheit, die Sicherheit der Person und die Gleichheit vor Gericht verwiesen (OAS, 2017).

Andererseits betont die Allgemeine Erklärung der Menschenrechte in den Artikeln 1, 8 und 9 "das

Recht auf einen wirksamen Rechtsbehelf vor den zuständigen nationalen Gerichten bei Handlungen, die die von der Verfassung anerkannten Grundrechte verletzen" (Vereinte Nationen, 1965). In der Amerikanischen Erklärung der Menschenrechte und Pflichten des Menschen heißt es in Artikel XVII, dass jeder Mensch als Träger von Rechten und Pflichten anerkannt wird und die bürgerlichen Grundrechte genießt" (OAS, 2017). (OAS, 2017).

Die Artikel 1, 14, 16, 17, 20 und 21 der Verfassung beziehen sich auf ein ordnungsgemäßes Verfahren, die Rechtmäßigkeit und den Zugang zur Justiz, und Artikel 113 besagt, dass die Grundlage der vermögensrechtlichen Verantwortung des Staates objektiv und unmittelbar ist. Was das Bundesgesetz über die vermögensrechtliche Haftung des Staates betrifft, so regelt es den zweiten Absatz von Artikel 113 der Verfassung, insofern als öffentliche Einrichtungen diesem Gesetz für Schäden unterliegen, gilt dieses Gesetz in der Tat zusätzlich zu den verschiedenen Verwaltungsgesetzen, daher leitet sich die Entschädigung für die vermögensrechtliche Haftung des Staates aus der unregelmäßigen Verwaltungstätigkeit und den Entschädigungsbeträgen ab, und was das "Verfahren des Anspruchs Bundesgesetz über die vermögensrechtliche Haftung des Staates" betrifft (Departamento de Documentation Legislativa-SIID, 2014).

Andererseits verweist das Allgemeine Opfergesetz auf das Recht der Opfer von Menschenrechtsverletzungen, und in Artikel 10, dem Recht auf Zugang zur Justiz, wird davon ausgegangen, dass die Opfer das Recht auf einen gerichtlichen Rechtsbehelf vor den Behörden haben, der ihnen die Ausübung ihrer Rechte in einer zügigen, verhältnismäßigen und gerechten Weise garantiert, In Artikel 12, Abschnitt 11, wird den Opfern das Recht auf Schadensersatz zugesprochen, und in Artikel 61 wird auf Restitutionsmaßnahmen verwiesen, d.h. die Opfer haben das Recht auf Wiederherstellung ihrer verletzten Rechte, und Artikel 73, Abschnitt IV, bezieht sich auf eine öffentliche Entschuldigung.

Schließlich wird auf das "Recht des Opfers oder der beleidigten Person, die Art der qualifizierten Verletzung, im folgenden Absatz erwähnt, h) Weigerung, Einschränkung oder Behinderung, die Wiedergutmachung des Schadens zu bestimmen und/oder durchzuführen". (Catalago para la calificacion e investigacion de violacion a Derechos Humanos de la Comision Nacional de Derechos Humanos del Distrito Federal, 2017).

Kolumbien

In Bezug auf die zu untersuchende Frage der Verantwortung des Staates ist es notwendig, darauf hinzuweisen, dass das Verfassungsgericht den Begriff des Verfassungsblocks eingeführt hat, und dass darüber hinaus die kolumbianische Verfassung 1995[16] in ihrem Artikel 93 erstmals vorsieht, dass die vom Kongress ratifizierten internationalen Verträge und Konventionen die Menschenrechte anerkennen und Einschränkungen in Ausnahmezuständen verbieten, und dass sie auch in der internen Ordnung Vorrang haben. Die darin verankerten Rechte und Pflichten werden gemäß dem Interamerikanischen Gerichtshof für Menschenrechte von 1979 in Übereinstimmung mit den von Kolumbien abgeschlossenen internationalen Menschenrechtsverträgen ausgelegt.Die am 22. November 1969 in San Josd de Costa Rica unterzeichnete und 1978 in Kraft getretene Amerikanische Menschenrechtskonvention, die im Juni 1973 ratifiziert wurde, sieht in Artikel 10 vor, dass jeder das Recht hat, im Falle einer rechtskräftigen Verurteilung wegen eines Justizirrtums gemäß dem Gesetz entschädigt zu werden, da die Regeln des internationalen Rechts auf drei Arten in das kolumbianische Rechtssystem integriert werden können: (i) mit Verfassungsrang; (ii) mit übergesetzlichem Rang; oder (iii) mit Gesetzesrang. Die allgemeine Regel ist die kolumbianische Verfassung von 1991, und natürlich erhält das Völkerrecht im kolumbianischen Rechtssystem den Status eines Gesetzes, sofern die Verfassung nichts anderes vorsieht.Andererseits wurde der Internationale Pakt über bürgerliche und politische Rechte von Kolumbien am 29. Oktober 1969 ratifiziert und trat am 23. März 1976 in Kraft. Artikel 9 Absatz 1 besagt, dass alle Menschen das Recht auf Freiheit und Sicherheit haben, was bedeutet, dass niemand willkürlich festgenommen oder inhaftiert werden darf, und Artikel 14 besagt, dass alle Menschen vor den Gerichten gleich sind. Demnach kann ein Freiheitsentzug nur in Übereinstimmung mit den in der Verfassung oder im Gesetz vorgesehenen Verfahren erfolgen und stellt eine rechtswidrige Freiheitsentziehung dar, die sowohl auf nationaler als auch auf internationaler Ebene verboten ist.

Dementsprechend wurde die Allgemeine Erklärung der Menschenrechte von der Generalversammlung in ihrer Resolution 217 A (III) vom 10. Dezember 1948 angenommen und veröffentlicht, und in den Artikeln 1, 8 und 9 wird auf Freiheit, Gleichheit, wirksame Rechte und Rechtsmittel vor Gericht verwiesen und darauf, dass niemand willkürlich festgenommen, inhaftiert oder verbannt werden darf. Darüber hinaus verweist die Europäische Menschenrechtskonvention in

---

2. Struktur und Funktionsweise der Justiz in Mexiko und Kolumbien

Zunächst wird in Bezug auf Mexiko die Struktur und Funktion der Bundesjustiz und der Justiz der Bundesstaaten erläutert und in zwei Bereiche unterteilt, da es sich um einen föderalen Staat handelt. Nach der Verfassung (1917) hat jeder Bundesstaat seine eigene Gesetzgebung und Struktur, d. h. Exekutive, Legislative und Judikative, und ist verfassungsrechtlich für die Rechtspflege verantwortlich, die den höchsten Grundsätzen für das Verhalten der Richter unterliegt: Ehrlichkeit, Objektivität, Unparteilichkeit, Unabhängigkeit, Professionalität und Unabhängigkeit.

ihrem Artikel 5 darauf, dass jede Person, die Opfer einer Sicherungsverwahrung ist und sich in einer Situation befindet, die den Bestimmungen dieses Artikels zuwiderläuft, das Recht auf Wiedergutmachung hat" (Vereinte Nationen, 1965). (Vereinte Nationen, 1965) Gemäß der geltenden politischen Verfassung, Artikel 90, kommt der Staat für die Schäden auf, die durch Handlungen oder Unterlassungen der öffentlichen Behörden verursacht wurden, auch die kolumbianische Verfassung beschreibt sie als einen sozialen Staat, der auf der Achtung der Menschenwürde basiert, und in ihrem Artikel zwei werden die Behörden der Republik genannt, die für die Schäden verantwortlich sind, die durch Handlungen oder Unterlassungen der öffentlichen Behörden verursacht wurden, Er erwähnt die Behörden der Republik, die dazu bestimmt sind, die Einwohner Kolumbiens in ihrem Leben, ihrem Eigentum und ihren anderen Rechten und Freiheiten zu schützen, um die Einhaltung des Staates und der Individuen zu gewährleisten und ein Gleichgewicht aufrechtzuerhalten, das das Gesetz und den sozialen Frieden garantiert, "es wird auch erwähnt, dass alle Menschen frei und gleich vor der Charta geboren sind, Artikel 13" (Constitution Politica Colombia). (Constitution Politica Colombia) Andererseits bezieht sich das Gesetz 270 von 1996 auf "die Verantwortung des Staates und den ungerechtfertigten Freiheitsentzug" (Estatuaria Administration de Justicia, Ley 270, 1996) und erwähnt, dass die Regelung der subjektiven Verantwortung eingeführt wurde, die die Bestimmung des ungerechtfertigten Freiheitsentzugs impliziert, wodurch die Regelung objektiv wird, und schließlich der Codigo de Procedimiento Administrativo y de lo Contencioso Administrativo (Verwaltungsverfahrens- und Verwaltungsstreitgesetzbuch).

Kapitel 2

JURISTISCHE KOMPETENZ VON MEXIKO UND KOLUMBIEN Transparenz, diese Grundsätze ermöglichen die Ausübung der Zuständigkeiten der einzelnen Gerichts- und Verwaltungsorgane, die sie bilden.

Die Struktur des Bundesgerichtswesens gemäß der mexikanischen Gesetzgebung von 1917 erklärt, dass der Oberste Gerichtshof der Nation das höchste Gericht Mexikos ist und auch die in der Magna Carta festgelegte Ordnung verteidigt, "um die verschiedenen Befugnisse und Organe der Regierung auszugleichen und Rechtsangelegenheiten durch gerichtliche Beschlüsse zu lösen" (Revista Juridica Unam, 2013). (Revista Juridica de la Unam, 2013). Da es sich um das wichtigste und höchste Gericht mit Verfassungscharakter handelt, gibt es kein Organ oder eine Behörde, die über ihm steht und sich gegen die Entscheidungen des Bundesgerichtshofs stellen kann, wie die einzelnen Abteilungen und Bereiche, über die es verfügt, erklären:

Insbesondere wird erklärt, dass der "Consejo de la Judicatura Federal (Bundesrichterrat) das Ziel hat, die Verwaltung, die Überwachung, die Disziplin und die richterliche Laufbahn zu gewährleisten, die das Funktionieren der Bezirks- und Kreisgerichte ermöglichen" (Revista Juridica Unam, 2013, S. 3). (Revista Juridica de la Unam, 2013, S. 3) Außerdem das Wahlgericht, dann die Kollegialgerichte, die Einheitsgerichte und schließlich die "Bezirksgerichte, die für die Rechtsprechung innerhalb der föderalen Einheit zuständig sind". (Revista Juridica de la Unam, 2013, S. 5).

Die richterliche Gewalt der Föderation, deren Ausübung in Artikel 94 der Verfassung geregelt ist, stellt laut Garcia Ttilez (2016) den Schutz der Grundrechte und die Grundlage für die Beilegung von Streitigkeiten zwischen Einzelpersonen und zwischen den Gewalten dar, um die freie Entwicklung der Nation zu gewährleisten. Andererseits besteht ihre Hauptaufgabe in der Auslegung der in der Magna Carta enthaltenen Grundsätze und Werte, und in diesem Sinne wird sie als "Kontrolle der Verfassungsmäßigkeit der Handlungen und Bestimmungen der Behörden verstanden, da die Verfassung selbst die Funktion der Rechtsprechung vorsieht". (Federal Judiciary, 2016). Kurz gesagt, die einzige von der Legislative und der Exekutive unabhängige Judikative wird nicht von einem einzigen Organ geleitet, im Gegensatz zur Exekutive, die dem Präsidenten der Republik untersteht, der dem Kongress der Union vorsteht, ist sie ein Kontrollorgan, denn sie ist diejenige, die die Gesetze und die Justiz der Nation kontrolliert.

Das Organigramm der Struktur des föderalen Justizwesens ist nachstehend dargestellt:

Diagramm 1, Bundesjustizministerium von Mexiko

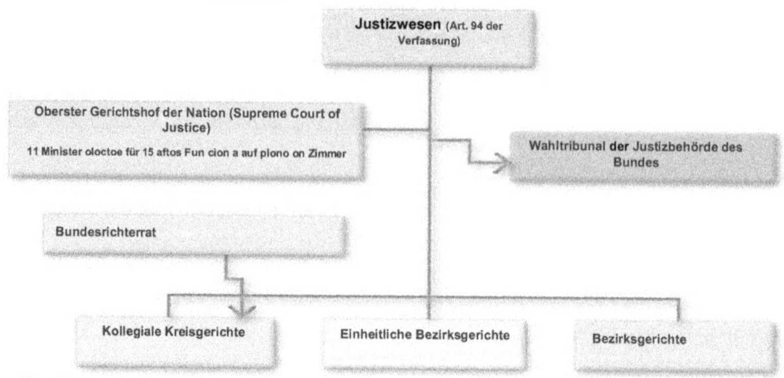

Quelle: Poder Judicial de Mdxico, 2017.

Zusammenfassend lässt sich sagen, dass sich die Justiz des Bundesstaates Chiapas wie folgt zusammensetzt:

Zum einen das Verfassungsgericht, die Regionalen Kollegialkammern, die Gerichte erster Instanz, die Fachgerichte für Jugendgerichtsbarkeit, die Friedens- und Schlichtungsgerichte, die indigenen Friedens- und Schlichtungsgerichte, die Gemeindegerichte, das staatliche Zentrum für alternative Justiz und das Institut für öffentliche Verteidigung. Andererseits wird auf die Befugnisse im Zusammenhang mit Artikel 63 der Magna Carta des Bundesstaates Chiapas des 21. Jahrhunderts und dem Organisationsgesetzbuch verwiesen, das "auf die Tatsache verweist, dass es ein Organ der juristischen Auslegungs- und Zuweisungskriterien ist" (Oberstes Gericht des Bundesstaates Chiapas). (Tribunal Superior de Justicia del Estado de Chiapas, 1973).

Gemäß der Verfassung von Chiapas (2017) wird erklärt, dass die Ausübung der Zuständigkeiten bei einem Obersten Gerichtshof des Staates angesiedelt ist, und zwar zunächst beim Justizrat, dann beim Wahl- und Verwaltungsgerichtshof und schließlich beim Gericht für Bürokratiearbeit, Die Besonderheiten seiner Organisation und seiner Arbeitsweise sind im Organisationsgesetzbuch der Justiz sowie in den für jedes seiner Organe geltenden internen Vorschriften geregelt. Der Oberste Gerichtshof des Staates wird daher hauptsächlich von einem vorsitzenden Richter geleitet, der auch der Leiter der Justiz des Staates ist.

(Tribunal Superior de Justicia del Estado de Chiapas, 1973, S. 2). Die politische Verfassung des Bundesstaates (2017) bekräftigt auch, dass die Justiz ihre Aufgaben unabhängig von den anderen öffentlichen Gewalten und Organen des Staates ausübt, mit denen sie gemäß Artikel 14 der Verfassung von Chiapas koordinierte Beziehungen unterhält, und dass die Richter und Staatsanwälte in ihren Entscheidungen volle Autonomie und Unabhängigkeit genießen.

Kolumbien

In der Verfassung (1991) heißt es, dass die Verwalter der Unparteilichkeit das Verfassungsgericht, der Oberste Gerichtshof, der Staatsrat, der Oberste Rat der Justiz, der Generalstaatsanwalt, die Gerichte und die Richter sind, die die Judikative als Teil der öffentlichen Gewalt bilden.[17]

Das Gesetz 270 (1996) erwähnt ebenfalls, dass die Entwicklung der oben genannten und anderer Verfassungsnormen, die sich auf die Justizverwaltung beziehen, erlassen wurde, während das Gesetz über die Justizverwaltung in Artikel 11 festlegt, dass sich die Justiz aus den folgenden Rechtsprechungen und Organen zusammensetzt:

1. Die kolumbianische Verfassung (1991) besagt, dass sich die allgemeine oder ordentliche Gerichtsbarkeit aus dem Obersten Gerichtshof, den Obergerichten des Gerichtsbezirks und den Zivil-, Arbeits-, Straf-, Landwirtschafts-, Familien- und anderen spezialisierten und vielseitigen Gerichten zusammensetzt.
2. Daher wird in der politischen Verfassung die Verfassungsgerichtsbarkeit erläutert, die die Integrität und den Vorrang der Verfassung garantieren soll und die auch die Einbindung und Funktionsweise des Verfassungsgerichts beschreibt.
3. Die Friedensgerichtsbarkeit, die sich aus den Friedensrichtern zusammensetzt, gibt dann an, dass sie sich aus den Friedensrichtern zusammensetzt.
4. Auch die politische Verfassung (1991) spricht sich für die Schaffung einer Generalstaatsanwaltschaft aus.
5. In der politischen Verfassung (1991) werden schließlich die Funktionen der streitigen Verwaltungsgerichtsbarkeit, die Teil des Staatsrats ist, und der

[17] Die Fiscalia General de la Nacion ist eine zentralisierte Einrichtung auf nationaler Ebene und Teil des Justizapparats der kolumbianischen Staatsgewalt, die durch die Verfassung von 1991 geschaffen wurde, um Verbrechen zu untersuchen und mutmaßliche Straftäter vor den zuständigen Richtern zu verfolgen.

Verwaltungsgerichte und Verwaltungsgerichtshöfe, die für die Beilegung von Streitigkeiten der öffentlichen Verwaltung zuständig sind, gemäß Artikel 104 der Verwaltungsverfahrens- und Verwaltungsprozessordnung, soweit diese vorsieht, dass sie über Streitigkeiten entscheiden, die durch Verwaltungsakte und Sachverhalte öffentlicher Einrichtungen entstanden sind.

Laut Rodriguez (1997) fügt er hinzu, dass der Staatsrat das höchste Gericht ist, und verweist auf Artikel 237 der Verfassung über die Zuständigkeiten des Staatsrats, in dem es heißt

1. Die Verwaltungsgerichte werden von der Verwaltungskammer des Obersten Rates der Justiz in jedem Verwaltungsgerichtsbezirk eingerichtet.
2. Die Verwaltungsgerichte werden gemäß Artikel 197 des Gesetzes von der Verwaltungskammer des Obersten Rates der Justiz bestimmt, und die Zuständigkeit der Richter ist in der Verwaltungsprozessordnung und der Verwaltungsstreitordnung festgelegt.

In Übereinstimmung mit den obigen Ausführungen lässt sich die Struktur der Judikative als Teil der öffentlichen Gewalt anhand des folgenden Organigramms grafisch darstellen:

Diagramm 2, Justizwesen in Kolumbien

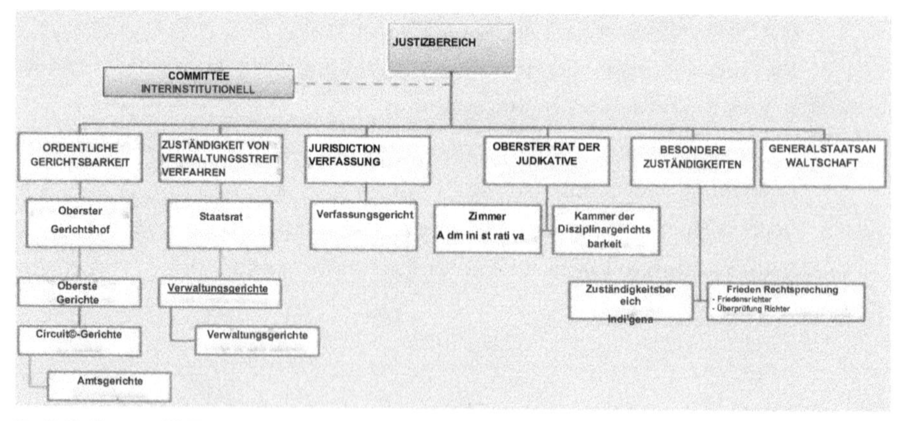

QuelleJudicatura, 2017 von Kolumbien.

2.1 Regelung für die Verantwortung des Staates in Mexiko und Kolumbien.

Mexiko

Mosri, OнEërre/, (2015), weist zunächst auf die Regelungen der Staatshaftung hin, die in der Reform von Artikel 113 der Verfassung vorgesehen sind, aus der das Bundesgesetz über die Staatshaftung hervorging, wobei davon ausgegangen wird, dass das System der Staatshaftung in Mexiko auch heute noch in vollem Umfang auf Bundesebene zugunsten der Mexikaner gilt, das nicht auf die Bundesstaaten anwendbar ist, sondern nur in die Zuständigkeit des Bundes fällt. Ebenso stellt Mosri Gutiërrez (2015) fest, dass die vermögensrechtliche Haftung des Staates für rechtswidrige Verwaltungstätigkeit seit 2002 in das Rechtssystem der objektiven und unmittelbaren Haftung zur Entschädigung von Personen für Schäden, die durch die rechtswidrige Verwaltungstätigkeit des Staates verursacht wurden, im zweiten Absatz von Artikel 113 der Verfassung und im Bundesgesetz über die vermögensrechtliche Haftung des Staates (Ley Federal de Responsabilidad Patrimonial del Estado) aufgenommen wurde.

Auf der anderen Seite gibt es andere Modalitäten der Wiedergutmachung des Schadens, die seit der Veröffentlichung des Allgemeinen Opfergesetzes im Jahr 2013 zusätzliche Wiedergutmachungsmaßnahmen für Fälle hinzufügen, in denen sie infolge der Begehung einer Straftat oder der Verletzung ihrer Menschenrechte einen Schaden oder eine Gefährdung ihres rechtlichen Eigentums oder ihrer Rechte erlitten haben, Ebenso wird in der Initiative zum Allgemeinen Opfergesetz als unabdingbar anerkannt, dass das "Gesetz die Mechanismen und Maßnahmen koordiniert, die notwendig sind, um die Rechte der Opfer zu fördern, zu respektieren, zu schützen, zu garantieren und ihre wirksame Ausübung zu ermöglichen, indem alle Behörden im Rahmen ihrer unterschiedlichen Zuständigkeiten miteinander verbunden werden" (Ley General de Victimas, 2013).

In diesem Zusammenhang wurde das Nationale System für die Betreuung von Opfern von der Exekutivkommission für die Betreuung von Opfern geschaffen, einer dezentralen Einrichtung, die es dem Staat ermöglicht, denjenigen, die ihren Status als Opfer einer Straftat oder einer Menschenrechtsverletzung nachweisen können, eine umfassende Wiedergutmachung zu gewähren, und zwar durch "fünf Arten von Maßnahmen, die mit den Kriterien des Interamerikanischen Gerichtshofs für Menschenrechte übereinstimmen, und zwar in Bezug auf den Schaden und seine Form der Wiedergutmachung, die Wiederherstellung, die Rehabilitation, die Entschädigung, die Genugtuung und die Nichtwiederholung" (Comisión Ejecutiva de Atencion a Victimas, 2013). (Comisión Ejecutiva de Atencion a Victimas, 2013). Auch das Allgemeine Opfergesetz (2013) erklärt, dass die Betroffenen zunächst nachweisen müssen, dass sie einen der im Gesetz genannten Schäden erlitten haben, d. h. einen wirtschaftlichen, körperlichen, geistigen oder seelischen Schaden sowie eine Verletzung von Rechtsgütern oder Rechten infolge der Begehung einer Straftat oder der Verletzung von Menschenrechten, die in der Verfassung und in internationalen Verträgen, denen Mexiko beigetreten ist, anerkannt sind.

Andererseits ist dieses Gesetz auf den föderalen Bereich anwendbar, gilt jedoch für die Bundesstaaten des Landes, weshalb "für jeden Staat ein Regelungsgesetz erforderlich ist, um das entsprechende Gesetz anzuwenden" (Mosri Gutidrrez, 2015), ebenso wie die umfassende Wiedergutmachung, die im Allgemeinen Opfergesetz vorgesehen ist, das zusätzliche Mechanismen zur integralen Wiedergutmachung der in Artikel 12 des Föderalen Gesetzes über die vermögensrechtliche Verantwortung des Staates beschriebenen Schäden vorsieht, und zwar in Bezug auf die Rechtsgüter, die bei der Begehung eines Verbrechens oder der Verletzung der Menschenrechte verletzt werden, die die materiellen, persönlichen und moralischen Schäden bezeichnen, auf die im Regelungsgesetz des zweiten Absatzes von Artikel 113 der Verfassung Bezug genommen wird; und "mit der Reform von 2015 wurde das Nationale Antikorruptionssystem ins Leben gerufen, das auch in den letzten Absatz von Artikel 109 der Verfassung aufgenommen wurde" (Mosri Gutidrrez, 2015).

Einerseits erklärt Mosri Gutidrrez (2015), dass der Staat nach der Reform von Artikel 113 der Verfassung und dem Bundesgesetz über die vermögensrechtliche Haftung des Staates nur für Schäden, die durch eine rechtswidrige Verwaltungstätigkeit verursacht wurden, vermögensrechtlich haftet und nicht für alle Schäden, wie es die Theorie der verschuldensunabhängigen Haftung vorsieht.

Auch das Föderale Gesetz über die vermögensrechtliche Haftung des Staates wurde am 31. Dezember 2004 im Amtsblatt der Föderation veröffentlicht und definierte zu diesem Zeitpunkt als rechtswidrige Verwaltungstätigkeit die Schädigung von Gütern und Rechten von Personen, die nicht rechtlich verpflichtet sind, diese zu tragen, da es "keine Rechtsgrundlage gibt, die den fraglichen Schaden legitimiert" (Castro Estrada, 2017), d.h. die vermögensrechtliche Haftung des Staates ist direkt und es ist nicht erforderlich, das Verschulden oder die Böswilligkeit der öffentlichen Bediensteten, die die schädigende Handlung ausgeführt haben, nachzuweisen, um eine Entschädigung zu fordern, obwohl Artikel 18 des Bundesgesetzes über die vermögensrechtliche Haftung des Staates vorsieht, dass Einzelpersonen in ihrer Klage die öffentlichen Bediensteten identifizieren müssen, die an der rechtswidrigen Verwaltungstätigkeit beteiligt waren.

Castro Estrada (2017) fügt auch die wichtigsten Merkmale des Bundesgesetzes über die vermögensrechtliche Verantwortung des Staates hinzu:

1. Erstens handelt es sich um ein Bundesgesetz, das den zweiten Absatz von Artikel 113 der Verfassung regelt und daher nicht auf Bundesebene anwendbar ist.
2. Es ist auch eine allgemeine Regelung, die sich auf jede rechtswidrige Verwaltungstätigkeit

des Staates durch Handeln oder Unterlassen bezieht, und das Gesetz legt auch fest, dass alle föderalen öffentlichen Einrichtungen, einschließlich der Justiz, der Legislative und der Exekutive der Föderation und der autonomen Verfassungsorgane, diesem Gesetz unterliegen.

3. Es handelt sich also um eine direkte Haftungsregelung, die über die sonstige subsidiäre und gesamtschuldnerische Haftung zivilrechtlicher Art hinausgeht.
4. Und schließlich argumentiert Castro Estrada (2017), dass es sich um ein System der verschuldensunabhängigen Haftung handelt, bei dem die Idee des Verschuldens entfällt, so dass es nicht erforderlich ist, ein Verschulden oder eine Fahrlässigkeit nachzuweisen, um eine Entschädigung zu erhalten, sondern nur das tatsächliche Vorliegen einer Verletzung oder eines Schadens, der der betreffenden föderalen öffentlichen Einrichtung zuzuschreiben ist.

In Bezug auf die Haftung des Staates verweist Castro Estrada (2017) auf den zweiten Absatz der Verfassung 113 und das Bundesgesetz über die vermögensrechtliche Haftung des Staates, das sich auf Verwaltungsangelegenheiten und materielle Verwaltungsakte beschränkt und nur dann greift, wenn diese Verwaltungstätigkeit unter Verstoß gegen das Gesetz ausgeübt wurde, dann verweist Artikel 4 des Bundesgesetzes über die vermögensrechtliche Haftung des Staates auf die Forderung nach Entschädigung und wird unter folgenden Voraussetzungen definiert: Erstens das Vorliegen der schädigenden Handlung, zweitens, dass der geltend gemachte materielle, persönliche und/oder moralische Schaden quantifizierbar oder in Geld bewertbar ist und schließlich argumentiert Mosri Gutidrrez, (2015), dass der Schaden in direktem Zusammenhang mit einer oder mehreren Personen steht und dass er nicht mit dem Schaden gleichzusetzen ist, der die Bevölkerung betreffen könnte.

Dies sind nicht die einzigen Elemente, die berücksichtigt werden müssen, um festzustellen, ob eine Entschädigung nach dem Föderalen Gesetz über die vermögensrechtliche Haftung des Staates geschuldet ist, sondern auch das Bestehen eines Kausalzusammenhangs zwischen der Verwaltungstätigkeit und dem entstandenen Schaden sowie die Unregelmäßigkeit der schädigenden Verwaltungstätigkeit müssen ordnungsgemäß anerkannt werden.

Laut Mosri Gutidrrez (2015) fügt er hinzu, dass das Bundesgesetz über die vermögensrechtliche Verantwortung des Staates den Antrag auf Entschädigung zunächst an die Behörde richten sollte, der die schädigende Handlung angelastet wird, und sobald diese die Entschädigung verweigert oder einen Betrag gewährt, den der Kläger als unzureichend für die Entschädigung des erlittenen Schadens erachtet, kann er einen Revisionsantrag stellen oder sich an den Bundesfinanz- und Verwaltungsgerichtshof wenden, um die Antwort der beteiligten Behörde zu analysieren und zu beschließen.

Andererseits ist es wichtig, die Erklärung von Mosri Gutidrrez (2015) über die Änderung des Artikels 113 der Verfassung und des Regelungsgesetzes hervorzuheben, die zu einer Regelung der

Rechenschaftspflicht führen und die ebenfalls vom Gesetzgeber vor der Reform der Verfassung über die Menschenrechte verabschiedet wurden, durch die der Grundsatz pro personae aufgenommen wurde und die zuvor die vom Interamerikanischen Gerichtshof für Menschenrechte aufgestellten Kriterien nicht berücksichtigte, wodurch die Wiedergutmachungsregelung zum Allgemeinen Opfergesetz wird.

Kolumbien

In Bezug auf unrechtmäßigen Freiheitsentzug stellt Gonzalez Noriega (2017) fest, dass dieser vor der politischen Verfassung von 1991 in den Begriffen der Deliktshaftung (...) geregelt war, und verweist auf die Empfehlungen der Strafprozessrechtsprechung.

Ebenso betont das Dekret 2700 aus dem Jahr 1991 die Schuld der Regierung für administrative Handlungen und Unterlassungen von Personen, denen die Freiheit entzogen wurde. Im Gegensatz dazu sind Guerrero & Merchan (2013) der Ansicht, dass ein Konflikt entsteht, wenn man den Begriff der Rechtswidrigkeit auf das Fehlen der Rechtmäßigkeit bezieht, im Gegensatz zum "Derecho Contencioso Administrativo" (Verwaltungsrecht), das auf diesen Begriff in der Verfassung, Artikel 90, und im Gesetz 270 von 1996 verweist (Agencia Nacional de Defensa Juridica del Estado, 2013). Die Simulation des freien Willens ist der Hauptpfeiler der Grundrechte, die in der aktuellen politischen Verfassung verankert sind.

Laut der Nationalen Agentur für den Rechtsschutz des Staates (2013) gibt es im Rahmen von Strafverfahren immer noch irreguläre Handlungen und Unterlassungen seitens der Verwaltungs- und Justizbehörden, die der Regierung Schuldgefühle bereiten, und es wird davon ausgegangen, dass die Verwaltungs- und Justizbehörden, insbesondere die Nationale Polizei.

Um den Freiheitsentzug nach dem Strafprozessrecht zu verdeutlichen, wird er wie folgt unterschieden:

> Erstens die Festnahme, d. h. die Justizbehörde erlässt einen Haftbefehl gegen die Person, um sie zu einem Strafverfahren zu bringen, und zweitens die Festnahme in flagranti, d. h. die Festnahme des Täters durch Beamte zum Zeitpunkt des kriminellen Einsatzes[18] . (Agencia Nacional de Defensa Juridica del Estado, 2013, S. 13).

Unter diesem Gesichtspunkt sind die folgenden Fälle von Entzug mit Inzidenz im Kontext des Verwaltungsrechts von Bedeutung:

1. Erstens ist ein objektiv und rechtlich zulässiger Haftbefehl so zu verstehen, dass dieser

[18] In der Zwischenzeit wird die Verhaftung nicht unter Beachtung der Grundrechte und eines ordnungsgemäßen Verfahrens durchgeführt. Das Strafverfahren kombiniert die Festnahme und den Freiheitsentzug unter dem Titel der Sicherungsverwahrung.

Ursprung keine Schuld für die Regierung schafft.

2. Zweitens ist es rechtswidrig, wenn ein Haftbefehl nicht in Übereinstimmung mit dem Gesetz vollstreckt wird und der Regierung Schuldgefühle beschert.
3. Drittens erzeugt die Illegalität eine Schuld für die Regierung und beweist nicht die Elemente des Prozesses. Die Handlungen und Unterlassungen schädigen das Eigentum einer Person, die ihrer Unschuld bezichtigt wurde.
4. Viertens: Rechtlich gesehen tragen Beamte und Staatsanwälte die Last des Schutzes bei der Einhaltung der gesetzlichen Verpflichtungen, aber der Beschuldigte wird dabei freigesprochen (Agencia Nacional de Defensa Juridica del Estado, 2013, S. 14).

2.2 RECHTLICHER RAHMEN FÜR STAATLICHES VERSCHULDEN

Die Dekrete der 4007 von 1970 hatten keine klare Grundlage für die Definition der Verantwortung der Regierung, wenn die Person seiner Freiheit beraubt wird, es war vor der Verfassung von 1991, (...) und mit der aktuellen Expedition, es zeigt ein klares Bild und in Bezug auf Artikel 90, ermöglicht eine Grundlage für den Schaden durch die Handlungen und Unterlassungen der Administratoren der Justiz (Agencia Nacional de Defensa Juridica del Estado, 2013, pag. 17).

Übrigens erkennt der Staat mit der neuen Verfassung von 1991 die Grundrechte von Personen, die sich in einer Situation der Verletzung von Menschenrechten befinden, die den öffentlichen Behörden zuzuschreiben ist, ohne Diskriminierung an. "Mit dieser neuen Ära war es auch notwendig, die Strafprozessordnung zu reformieren, im System der Freiheit, das auf der Schuld des Staates für ungerechtfertigten Entzug basiert, der anschließend durch ein Freispruchurteil aufgehoben wird. (Agencia Nacional de Defensa Juridica del Estado, 2013, S. 18).

Ebenso wurde im Verwaltungsgesetz verankert, dass die Regierung für die Handlungen und Unterlassungen von Staatsbediensteten verantwortlich gemacht werden kann: "Die Regierung muss für das mangelhafte Funktionieren der Rechtspflege, Rechtsprechungsfehler und ungerechtfertigten Freiheitsentzug einstehen". (Agencia Nacional de Defensa Juridica del Estado, 2013, S. 19).

Zusammenfassend hat das Verfassungsgericht in seinem Urteil C-037 aus dem Jahr 1996 den Begriff der ungerechtfertigten Inhaftierung erwogen und auf die Artikel 6, 28, 29 und 90 der Verfassung verwiesen, wobei es erklärte, dass der Begriff ungerechtfertigt eine Handlung oder Unterlassung beschreibt, die gegen die Rechtsordnung verstößt (Agencia Nacional de Defensa Juridica del Estado, 2013, S. 20), "der Freiheit beraubt wurde, nicht im Einklang mit dem Gesetz begründet wurde und bei der Anwendung der Norm die Umstände, die zur Inhaftierung geführt haben, im Rahmen der

Umstände, die zur Inhaftierung geführt haben, berücksichtigt werden müssen".

Die politische Verfassung (1991), in Bezug auf Artikel 90, als die ungerecht zu sein, wer nicht verpflichtet ist, den Schaden zu tragen und sollte nicht bewiesen werden, was willkürlich ist, solange es illegal ist, Prato Ramirez (2016), stellt fest, dass die ungerecht ist als eine tiefe Studie des Richters, wenn eine Handlung als ungerecht ausgesetzt ist, da in der illegalen Handlung hat einen Vergleich mit dem Gesetz zu machen, im Gegensatz zu den ungerechten hat eine andere Art von Bewertung.

Andererseits ist die traditionelle Konzeption der Haftung die Verpflichtung zur Wiedergutmachung und beruht nicht auf einem Schaden, sondern auf einem Verschulden (Fehlverhalten, Unvorsichtigkeit, Nichtvorhersehen des Vorhersehbaren), und wenn die Verpflichtung zur Wiedergutmachung auf einem Irrtum beruht, muss dieser Irrtum dem Staat zugerechnet werden, wie es in der Begründung heißt, wurde das Ergebnis im Urteil C-037-1996 des Verfassungsgerichts für gerecht erklärt, sofern die Erbringung einer öffentlichen Dienstleistung bei der Ausübung der öffentlichen Rechtsprechung erfolgt und einen rechtlichen Schaden verursacht, der korrigiert und sanktioniert werden muss.

2.3 STAATSRAT

Die Schuld des Staates leitet sich von der Person ab, der die Freiheit entzogen wurde. Hector (2006) stellt fest, dass es keine einheitliche Position gibt, weshalb vier verschiedene Formen entwickelt wurden, und zwar

1. In erster Linie wurde in dem Urteil die Schuld der Regierung für die Freiheitsberaubung bejaht und argumentiert, dass die Pflicht des Richters darin besteht, das Gesetz unter den verschiedenen Umständen des Falles zu befolgen, insofern wurde das Studium des Richters oder Richters als irrelevant angesehen, d.h. es war nicht von Interesse herauszufinden, ob er mit Schuld oder Arglist gehandelt hat.

Nach dem ersten Moment des Urteils Prato Ramirez, (2016), bin ich der Ansicht, dass das Regime in der subjektiven Verantwortung entwickelt wird, und die Verantwortung des Staates wird unter dem Titel des Versagens in der Bereitstellung der Dienstleistung gebilligt und erfordert einen Justizirrtum, wie folgt:

2. Zweitens erklärt Prato Ramirez (2016), dass der Kläger die Verfahrenslast nachweisen muss, um das Recht auf Schadensersatz zu erhalten, es ist notwendig, das Vorhandensein eines Fehlers der Justizbehörde bei der Anordnung der freiheitsentziehenden Maßnahme zu beweisen und das Gesetz weist auf eine ungerechtfertigte Inhaftierung hin, die mit der verschuldensunabhängigen Haftung verglichen wird, dass es nicht notwendig war, das

Vorhandensein eines Dienstversagens zu beweisen, da der Staat die Verpflichtung hat, den verursachten Schaden zu ersetzen.

In Bezug auf das zweite Moment bevorzugt das Urteil das Modell der verschuldensunabhängigen Haftung oder des besonderen Schadensersatzes.

3. Dritter Moment, Prato Ramirez, (2016), erklärt, dass der Rat des Staates hielt das ungerechte Profil von drei Fällen von Inhaftierung befindet (...) und die Petition sagte in einem der drei Ansätze, die in dem Kriterium festgelegt; und der Freiheitsentzug, die verdient oder nicht in Justizirrtum impliziert die Verantwortung des Staates und ist nicht die Rechtswidrigkeit des Verhaltens des Subjekts des Staates, aber die Rechtswidrigkeit des Schadens durch das Opfer erlitten und hat nicht die rechtliche Verpflichtung zu tragen.[19]

In Bezug auf das dritte Moment, kurz gesagt, dass durch die Strafe der Einzelne entlassen wird und es wird als, weil es keine Elemente und der Richter muss darauf hinweisen, an den Staat.

Unter Bezugnahme auf die analysierten Urteile führt der Staatsrat Elemente des Dekrets 2700 von 1991 an, wonach die Regierung verpflichtet ist, für Schäden aufzukommen, die aus einem Freispruch resultieren. Auch der "Consejo de Estado hat in seiner Rechtsprechung die Fragen erweitert, um festzustellen, dass der Staat in Fällen eines Freispruchs in dubio pro reo haftet" (Guerrero & Merchan, 2013). (Guerrero & Merchan, 2013, S. 22).

Laut Guerrero und Merchan (2013) verdeutlicht diese juristische Linie, dass Staatsanwälten und Richtern während des gesamten Prozesses Rechtmäßigkeit zugesprochen wird.

4. Im vierten Moment erwähnt Prato Ramirez (2016), dass die Kammer des Staatsrats die Fähigkeit erweitert hat, die Schuld der Regierung für den Tatbestand der Sicherungsverwahrung zu begründen, und dass sie von der zuständigen Behörde geleitet wird und nach dem objektiven Titel der Zurechnung dem Einzelnen einen rechtswidrigen Schaden zufügt, der sich aus der Anwendung im Rahmen des Strafverfahrens ergibt (...)....), so dass es sich um das Ergebnis der Untersuchungstätigkeit der zuständigen Behörde handelt, ist die Tatsache, dass, wenn der Angeklagte nicht verurteilt wird, die Verpflichtung des Staates, den Schaden des Einzelnen zu ersetzen, anerkannt wird.

Der Staatsrat hat in seiner Rechtsprechung das Urteil im Dritten Abschnitt vereinheitlicht. Dossier.

[19]Auch der Staatsrat in der Dritten Abteilung, Aktenzeichen 13.606, ausgedrückt in der zweiten rechtswissenschaftlichen These über die Verantwortung des Staates in der Sicherungsverwahrung verursacht und als objektiv, und wie für die unterstellte Verhalten, dass die Person der Freiheit beraubt wurde und dass anschließend von einer Entscheidung der zuständigen Behörde freigelassen wurde, basiert es die Tatsache nicht aufgetreten ist, oder nicht zurechenbar, ohne die Notwendigkeit, das Verhalten des Richters oder der Behörde, die die Festnahme angeordnet zu bewerten, ist es aus dem Urteil vom 14. März 2002, Aktenzeichen 12.076.

23.354, 2003, in dem er die These der verschuldensunabhängigen Haftung bei ungerechtfertigtem Freiheitsentzug bestätigte und die Meinung des Verfassungsrichters von der Verantwortung für die Gewährleistung der Menschenrechte trennte, entspricht die vorgenannte Position des Staatsrates dem Artikel 90 der Verfassung Pohtica.

Laut dem Verfassungsgericht und dem Staatsrat in seiner Rechtsprechung, dass der Freiheitsentzug eine Verbindung mit der Grundlage der staatlichen Verantwortung besteht, so dass es als ein anti-juristischen Schaden erlitten qualifiziert wird, dann Prato Ramirez, (2016), argumentiert, dass es nicht anders sein kann, da Artikel 90 der politischen Verfassung zwei Unternehmen Staaten.

2. 4 Haftungsregelung bei subjektiven und objektiven Anrechnungstiteln

Zunächst einmal gibt es in Kolumbien Regelungen für die außervertragliche Haftung des Staates sowie für die verschuldensunabhängige und die subjektive Haftung, die sich in der Zurechnung des Schadens unterscheiden. Rivera Villegas (2003) erklärt, dass ein Haftungsregime eine Reihe von Regeln ist, die die Haftung des Staates bestimmen.

Die Rechtsprechung hat zwei Regelungen zur Prüfung der Verantwortung des Staates festgelegt, die erste subjektive Verantwortungsregelung, die das Versagen der Verwaltung als definitives Element für die Entschädigung betrachtet, d.h. es ist der Nachweis des Versagens der Verwaltung erforderlich, da sonst die Verantwortung des Staates nicht anerkannt wird, und andernfalls besteht kein Anspruch auf Entschädigung, dann gehört diese subjektive Haftungsregelung zum Titel der Zurechnung nachgewiesenen Dienstversagens, aufgrund dessen das Opfer nachweisen muss, dass es ein Dienstversagen, einen Schaden und den Kausalzusammenhang zwischen beiden gab, um den Schaden zu beweisen und das Recht auf Entschädigung zu beantragen.

Auch der Staatsrat bezieht sich auf die Zurechnungstitel, um dem Staat die außervertragliche Haftung zuzuweisen, und analysiert zwei Bereiche, nämlich den faktischen Bereich und die rechtliche Zurechnung, insofern als er die Zurechnung zu einer rechtlichen Pflicht bestimmt, die in Übereinstimmung mit den verschiedenen Zurechnungstiteln der Kammer handelt. Es ist dann notwendig, die Aspekte der Theorie der objektiven Zurechnung der Staatshaftung zu berücksichtigen, da das Regime der Staatshaftung die Annahme des Prinzips der Zurechenbarkeit erfordert, derzeit ist die Tendenz der Staatshaftung durch objektive Zurechnung gekennzeichnet, Die zweite Haftungsregelung bezieht sich auf die verschuldensunabhängige Haftung und geht davon aus, dass sie dem Einzelnen einen umfassenden Schutz der Menschenrechte beim Nachweis des Schadens und des Kausalzusammenhangs bietet, um das Recht auf Entschädigung für den Schaden zu erhalten; bei dieser Regelung ist es nicht wichtig, das Verhalten des Staates zu kennen.

Der Hauptunterschied zwischen den beiden Titeln liegt also, wie Prato Ramirez (2016) erklärt, in den subjektiven Titeln und darin, dass ein Verschulden in Betracht gezogen werden muss, um eine Haftung zu begründen, während in den objektiven Systemen nur geprüft wird, wem der Schaden zuzurechnen ist und ob eine staatliche Haftung möglich ist.

2.4.1 SUBJEKTIVE IMPUTATION RUBRIKEN

Andererseits bezieht sich Hector (2006) auf das Konzept der Verletzung eines obligatorischen Inhalts für den Staat, mit anderen Worten, die subjektive Haftung nimmt zwei Modalitäten an, das nachgewiesene oder gewöhnliche Versagen des Dienstes und das vermutete Versagen, da es auf ein Versagen oder einen Fehler des Agenten oder auf einen fehlerhaften Betrieb des Dienstes zurückzuführen ist, der den Schaden verursacht, und die Verpflichtung zur Entschädigung entsteht für den Staat und für den Beamten mit einem gesamtschuldnerischen Charakter. Ebenso beschreibt Prato Ramirez (2016), dass das subjektive Haftungsregime das Verhalten des Staates betrachtet, um seine Haftung zu bestimmen, und bejaht nur den Fehler in der Betätigung des Staates, im Gegensatz zu Hector (2006), der feststellt, dass der einzige Titel der Zurechnung der Haftung den Regeln des Haftungsregimes unterliegt, in der Tat ist es das Versagen des Dienstes, dass dieser Titel ein fehlerhaftes Verhalten des Staates anzeigt.

Dienstausfälle

In Bezug auf die Quellen der Staatshaftung betrachtet Prato Ramirez (2006) die Theorie des Dienstversagens als den wichtigsten Rechtstitel für die Übertragung der Staatshaftung auf der Grundlage des Verschuldens, und das Dienstversagen entspricht dem Regime der subjektiven Haftung, und da die grundlegende Grundlage für die Zuweisung der Haftung an den Staat das Verschulden der Verwaltung durch Handeln oder Unterlassen ist.

Ebenso weist Hector (2006) darauf hin, dass das schädliche Ereignis, das durch die Verletzung des obligatorischen Inhalts, der dem Staat obliegt, verursacht wird, aus Gesetzen, Verordnungen oder Statuten hervorgeht, die dem Staat Verpflichtungen und Aufgaben auferlegen, während in der politischen Verfassung in Artikel zwei Absatz zwei festgelegt ist, dass die Behörden der Republik zum Schutz aller in Kolumbien ansässigen Personen eingesetzt werden, um die Erfüllung der sozialen Pflichten des Staates und der Privatpersonen zu gewährleisten.

Andererseits gibt es in der subjektiven Haftungsregelung zwei Formen, von denen die erste das nachgewiesene Dienstversagen war, d. h. die betroffene Partei musste das Vorhandensein eines Dienstversagens, eines Schadens und den Kausalzusammenhang zwischen beiden nachweisen, "um den Staat zu verpflichten und somit das Recht auf Entschädigung zu erhalten" (Prato Ramirez, 2016,

S. 53), andernfalls hat der Einzelne kein Recht auf Entschädigung, und der Staatsrat hat dies berücksichtigt.

Er wurde auch in der französischen Rechtsprechung als Kriterium für die Zuweisung von Zuständigkeiten eingeführt, da in diesem Land die Verwaltungsgerichtsbarkeit und die ordentliche Gerichtsbarkeit um die Kenntnis der gegen öffentliche Einrichtungen erhobenen Klagen konkurrierten. Das Versagen des Dienstes wird also als die Idee des Nichtfunktionierens, der Fehlfunktion oder des verspäteten Funktionierens der Verwaltung im Sinne der klassischen Doktrin verstanden (Pinzon Munoz, 2016, S. 138). Das konkrete Versagen des öffentlichen Dienstes beruht auf der Feststellung der administrativen Verantwortung für die Tätigkeit oder Dienstleistung, die den Schaden verursacht.

2.4.2 STRENGE HAFTUNGSREGELUNG

In Bezug auf diese Art der Haftung fügt Rivera Villegas (2003) hinzu, dass sie nur für eine bestimmte Person oder Gruppe gilt, die einen Schaden erlitten hat, da dieser von den Verwaltern erlitten wurde und sie keinen Anspruch auf Entschädigung hatten. Er weist auch auf die wichtigsten Anwendungsbereiche der Haftung hin, und zwar besondere Schäden, außergewöhnliches Risiko, Enteignung und Besetzung von Eigentum im Kriegsfall.

Andererseits erklärt Prato Ramirez (2016), dass bei der verschuldensunabhängigen Haftung das Verhalten des Staates nicht berücksichtigt wird, um seine Haftung zu bestimmen, mit anderen Worten, dass das Verhalten des Staates nicht das Ziel der Untersuchung der Haftungsregelung ist, da das rechtswidrige Verhalten des Staates nicht notwendig ist, um die Haftung des Staates zu bestimmen. Folglich fügt Pinzon Munoz (2016) hinzu, dass sich die verschuldensunabhängige Haftung auf den Ausschluss des Verschuldens von der Haftung bezieht, d. h. der Ausschluss des Dienstversagens führt dazu, dass der Staat in einem System der verschuldensunabhängigen Haftung haftet, d. h. der Kläger muss nur das Vorliegen des Schadens und den Kausalzusammenhang mit der Tatsache der Verwaltung nachweisen, In der Tat muss der Kläger nur das Vorhandensein des Schadens und den Kausalzusammenhang mit dem Verwaltungsakt beweisen, während der Staat im Gegenteil beweisen muss, dass er mit Sorgfalt und Gewissenhaftigkeit gehandelt hat, da dies nicht ausreicht und er sich von der Haftung befreien kann, indem er das Auftreten einer äußeren Ursache nachweist, auch der Staatsrat weist in der Rechtsprechung zum Thema der verschuldensunabhängigen Haftung darauf hin, dass verschiedene Haftungsregelungen entwickelt wurden.[20]

---

[20] Auch die verschuldensunabhängige Haftung oder die verschuldensunabhängige Haftung für das normale Funktionieren des Staates als Quelle der Staatshaftung setzt die subjektive Regelung in Kolumbien um. Dieser Zurechnungstitel wird verwendet, um Situationen zu schützen, in denen das Handeln des Staates zwar rechtmäßig ist, aber dem Einzelnen einen

Besondere Schäden

Auf einer dritten Ebene "räumt die Rechtsprechung des Staatsrats ein, dass die legitime Tätigkeit einen Schaden verursacht, den der Einzelne nicht zu tragen hat, eine Situation, die der traditionellen Theorie des Versagens entspricht, und betrachtet die Verletzung der öffentlichen Lasten als besonderen Schaden" (Pinzon Munoz, 2016, S. 146). Auch der Staatsrat verweist auf den besonderen Schaden und erwähnt denjenigen, der die verwaltete Partei in der Entwicklung einer legitimen, auf Legalität abzielenden Handlung des Staates verurteilt, da das aktive Subjekt Anspruch auf Entschädigung hat.

Darüber hinaus ist es als normativer Referent dogmatische und wesentliche Konzepte, die in der politischen Charta von 1991 konzipiert wurden, "die Menschenwürde Artikel 1 °, die Prävalenz der Grundrechte Artikel. 5°, und der Grundsatz der sozialen Verantwortung und Solidarität unter anderem", (Gomez Sierra, 2010), ist dieses Regime als Haftung für die Verletzung der Gleichheit, vor der öffentlichen Lasten oder Theorie der besonderen Schäden, und für Gomez Sierra, (2010), erklärt, dass es auf den Grundsätzen der Gleichheit basiert, und ist der Auffassung, dass der Staat einen Schaden zu einem bestimmten erzeugt, und ist daher verpflichtet, die öffentliche Last zu akzeptieren, dh wer den Schaden erleidet ist berechtigt, eine Entschädigung zu erhalten. Andererseits bekräftigt Pinzon Munoz (2016), dass diese Haftungsregelung im Gegensatz zum Titel des nachgewiesenen Verschuldens steht, da es nicht notwendig ist, dass der Staat mit einem Fehler gehandelt hat, und dass sein Handeln legitim ist, jedoch Schäden verursacht, die nicht in der Pflicht sind zu tragen und vom Staat entschädigt werden müssen, Dieser Aspekt ist in Kolumbien offen und erlaubt es, die Entwicklung in einer primären Weise zu stärken, da die Zurechnung nicht nur dem Kriterium der Kausalität gehorcht, sondern von einer normativen und rechtlichen Erklärung unter einem Begriff der Theorie der objektiven Zurechnung.

2.5 Summe der Verurteilungen in Urteilen gegen den Staat

In Bezug auf finanzielle oder materielle Schäden fügt Prato Ramirez (2016) hinzu, dass sie als Folgeschäden und entgangener Gewinn eingestuft werden, und in Bezug auf nicht-finanzielle Schäden werden sie als moralischer Schaden eingestuft, wobei es zwar stimmt, dass gesundheitliche Schäden, psychologische Schäden und andere legitime verfassungsmäßige Rechte oder Interessen, die gesetzlich geschützt sind, nicht unter den Begriff der physischen Schäden oder Schäden an der psychophysischen Integrität fallen und das Recht auf Entschädigung verdienen.

---

rechtswidrigen Schaden zufügt.

Entschädigung für Verletzungen

Andererseits betont Pinzon Munoz (2016) den Rechtsgrundsatz, dass alle Schäden ersetzt werden müssen, und bezieht sich nur auf den Schaden. Diese Überlegung ist bei der Untersuchung der Schäden, die dem Einzelnen zugefügt wurden, notwendig, da die Person, der die Freiheit entzogen wurde, als Schaden betrachtet wird, Prato Ramirez, (2016), erklärt, dass, um das Recht auf Entschädigung zu erhalten, der rechtswidrige Schaden muss rechtswidrig sein, ein Recht verletzen, und seine Realität muss nachgewiesen werden.

1. Auftretende Schäden

Nach Marino Camacho (2014) definiert er als entstehende Schäden alle Ausgaben, die als Folge eines bestimmten Ereignisses, das das Opfer verletzt hat, entstanden sind, d.h. die wirtschaftlichen Ausgaben, Güter und nennenswerten Dienstleistungen, die aufgrund des verursachten Schadens das Vermögen verlassen haben. Daher bezieht sich Rivera Villegas (2003) auf den entstehenden Schaden, der die prozessuale Beweislast erfüllen und verschiedene Arten von Schäden aufweisen muss.

2. Verzicht auf Gewinn

Nach dem Bürgerlichen Gesetzbuch von Kolumbien in Artikel 1614, definiert es den Verlust des Einkommens, die nicht möglich ist, den zukünftigen Schaden zu bieten, wie es in der Zukunft zum Zeitpunkt der Tatsachen sein kann, kann es auch die Qualität der Gegenwart oder Vergangenheit je nach dem Zeitpunkt des Urteils zeigen, so Prato Ramirez, (2016) erklärt, dass die erste der Verlust ist, dass jemand aus dem schädigenden Ereignis erlebt, bis zu dem Zeitpunkt, wenn das Urteil erlassen wird, und die zweite ist der Verlust, der zwischen dem Zeitpunkt des Urteils und dem Zeitpunkt der Verpflichtung zur Entschädigung auftritt, ist erloschen.

3. Moralischer Schaden

Andererseits werden bei den außergerichtlichen oder immateriellen Schäden verschiedene Arten von Schäden unterschieden, wie Rivera Villegas (2003) erklärt, der moralische Schaden wird als physiologischer Schaden an Leben und Gesundheit bezeichnet. Andererseits verweist der Staatsrat in seiner Rechtsprechung auf den "perjuicio mora", der denjenigen, die einen antijuristischen Schaden erleiden, "das Recht auf eine grundsätzlich zufriedenstellende Entschädigung zugesteht, wobei es dem Richter obliegt, die Höhe zu bestimmen" (Rivera Villegas, 2003). (Rivera Villegas, 2003, S. 50).

Kapitel 3

REFLEXIONEN EIN BLICK AUS MEXIKO

3. ANALYSE DES MEXIKANISCHEN RECHTSSYSTEMS IN VERWALTUNGSANGELEGENHEITEN

Zunächst wurde am 14. Juni 2002 mit Artikel 113 der mexikanischen Verfassung die Regelung der objektiven und unmittelbaren Haftung des Staates für Schäden, die Einzelpersonen durch seine rechtswidrige Verwaltungstätigkeit entstanden sind, um einen zweiten Absatz ergänzt. Nach dieser Verfassungsreform wurde die vermögensrechtliche Haftung des Staates durch die Zivilgesetzgebung geregelt, wobei einige verwaltungsrechtliche Ausnahmen vorgesehen sind.

Gemäß dem Amtsblatt der Föderation (2004) wurde das föderale Gesetz über die vermögensrechtliche Haftung des Staates veröffentlicht, das die rechtswidrige Verwaltungstätigkeit als Schaden definiert, der den Gütern und Rechten von Einzelpersonen zugefügt wird, ohne dass diese rechtlich verpflichtet sind, dafür aufzukommen, so dass die vermögensrechtliche Haftung des Staates direkt ist und es nicht erforderlich ist, das Verschulden oder die Böswilligkeit der öffentlichen Bediensteten, die die schädigende Handlung verursacht haben, nachzuweisen; um eine Entschädigung zu fordern, gilt dies nur für föderale Einrichtungen.

Mit dieser Verfassungsreform (2002), betont er, dass Artikel 113 der Verfassung in den Verfassungsrang erhoben wird und die patrimoniale Verantwortung des Staates Besonderheiten aufweist, die sich von der Doktrin der objektiven und direkten Verantwortung unterscheiden, die sich auf das Recht auf Entschädigung auswirken, und auf der anderen Seite, die Verfassungsreform vom 10. Juni (2011), verweist auf die Menschenrechte und der mexikanische Staat war dann, dass anerkannte Verpflichtungen, aufgrund der Verhinderung, Untersuchung, Bestrafung und Wiederherstellung von Menschenrechtsverletzungen, im Sinne des Gesetzes.

Andererseits sind die demokratische politische Ordnung und die stärkere Beteiligung der Gesellschaft an der Debatte über das Recht auf Entschädigung, das im Bundesgesetz über die vermögensrechtliche Verantwortung des Staates und seine Anwendung vorgesehen ist, in Bezug auf dieses Gesetz nicht auf die Bundesländer anwendbar, da es in die Zuständigkeit des Bundes fällt.

Aus den obigen Ausführungen geht hervor, dass das System der Haftung des Staates für Schäden, das nach Artikel 113 der Verfassung und dem zugehörigen Regelungsrecht funktioniert, eine Einschränkung aufweist, und es ist klar, dass es Grenzen bei seiner Anwendung gibt, so dass es keine Garantie für den Schutz der Rechte der Opfer gibt und andernfalls eine Verletzung der Grundrechte ausgesprochen wird, und es ist notwendig, den maximalen Schutz der Menschenrechte auf reguläre

Handlungen der öffentlichen Verwaltung auszudehnen, daher kann die Ausweitung des Schutzes nicht durch Verordnungsrecht umgesetzt werden, sondern es müssen exklusive Gesetze und Verordnungen für seine Anwendung geschaffen werden.

In Übereinstimmung mit Artikel 113 der Verfassung und dem Regulierungsgesetz fügt es hinzu, dass der Staat nur für die Schäden, die durch seine unregelmäßige Verwaltungstätigkeit verursacht wurden, und nicht für irgendwelche Schäden vermögensrechtlich haftet, so dass es von grundlegender Bedeutung ist, die vermögensrechtliche Verantwortung des Staates auf der Grundlage der objektiven und direkten Theorie zu analysieren, die das erste Moment eines Systems in der Konsolidierung war, und erfordert eine Aktualisierung der nationalen Realität und des Pro-Persona-Prinzips, das Schutzmaßnahmen ergreifen muss, um die Menschenrechte im ganzen Land zu garantieren, indem es auf die Staaten anwendbare Normen schafft, die die Opfer von ungerechtfertigtem Freiheitsentzug begünstigen, und über ausreichende Instrumente verfügt, um das Recht auf Entschädigung als Folge der vom Staat verursachten Schäden zu garantieren.

ТашЫёп, die Regelung der Staatshaftung sollte als Kontrollmechanismus für die Handlungen der öffentlichen Bediensteten dienen, und der Staat sollte gegen diejenigen vorgehen, die für die rechtswidrige Verwaltungstätigkeit verantwortlich sind, die zur Zahlung einer Entschädigung geführt hat, jedoch ist diese Regelung in ihrer Anwendung auf die Staaten beschränkt. Auch die Haftungsregelung ermöglicht es dem Einzelnen, den Staat aufzufordern, für seine rechtswidrige Verwaltungstätigkeit mit der Zahlung einer Entschädigung zu reagieren, was bei der Analyse des Textes der Ley Federal de Responsabilidad Patrimonial del Estado tatsächlich der Fall ist, Tatsache ist, dass bei der Analyse des Textes des Bundesgesetzes über die patrimoniale Verantwortung des Staates darauf hingewiesen wird, dass die Wiedergutmachungsmechanismen hauptsächlich an föderale öffentliche Einrichtungen gerichtet sind, was den Staaten nicht garantiert, in den Genuss dieses Gesetzes zu kommen, wie es in Chiapas der Fall ist, das kein spezielles Regime der patrimonialen Verantwortung des Staates hat, in dieser Situation sind die Opfer von ungerechtfertigtem Freiheitsentzug ungeschützt, in der Tat weist der Interamerikanische Gerichtshof für Menschenrechte (2009), darauf hin, dass von Beginn des Gesetzes an die Opfer von ungerechtfertigtem Freiheitsentzug ungeschützt sind, Der Interamerikanische Gerichtshof für Menschenrechte (2009) weist darauf hin, dass die Opfer von ungerechtfertigtem Freiheitsentzug von Beginn des Gesetzes an nicht geschützt sind und weist darauf hin, dass VLxico für Fehlverhalten und Missstände verurteilt wurde, die kontinuierlich vor den Handlungen von Staatsbediensteten begangen wurden, Das "Ley General de Victimas que reconoce y garantiza los derechos de las victimas de los victimas del delito y de violaciones a derechos humanos" (Flores Ramos, 2014) wurde erlassen (Flores Ramos, 2014), und sieht auch Maßnahmen der Restitution, Rehabilitation, Entschädigung,

Genugtuung und Garantien der Nicht-Wiederholung, in der Verantwortung des Staates und zum Nutzen der Opfer, die in den Bedingungen des Gesetzes akkreditiert.

Dementsprechend erklärt Flores Ramos (2014), dass die internationalen Verpflichtungen, die der mexikanische Staat in Bezug auf die Menschenrechte eingegangen ist und die in der politischen Verfassung der Vereinigten Mexikanischen Staaten anerkannt werden, Jahre nach der Veröffentlichung des Allgemeinen Opfergesetzes am 9. Januar 2013 auch dazu führen, dass dieses Gesetz die Mechanismen und Maßnahmen anerkennt, die notwendig sind, um die Rechte der Opfer zu fördern, zu respektieren, zu schützen, zu garantieren und ihre effektive Ausübung zu ermöglichen, Dieses Gesetz schafft das Nationale System für die Betreuung von Opfern, das von der Exekutivkommission für die Betreuung von Opfern betrieben wird. Diese dezentralisierte Einrichtung ermöglicht es dem Staat, denjenigen, die nachweisen können, dass sie Opfer einer Straftat oder einer Verletzung ihrer Menschenrechte sind, eine umfassende Entschädigung zu gewähren.
Das Bundesgesetz über die vermögensrechtliche Verantwortung des Staates (2004) und das Allgemeine Opfergesetz fallen in die Zuständigkeit des Bundes und gelten nur für föderale Einrichtungen, da sie die in der Verfassung verankerten Menschenrechte nicht garantieren, da es keine anwendbare Regelung für die Bundesstaaten gibt, um dieses Gesetz anzuwenden. Aus der Analyse dieser Gesetze geht hervor, dass für die Anwendung des Allgemeinen Opfergesetzes im mexikanischen Bundesstaat Chiapas eine interne Regelung erforderlich ist, um dieses Gesetz anwenden zu können.

In diesem Zusammenhang weist Mosri Gutidrrez (2015) darauf hin, dass dieses Gesetz für das gesamte Staatsgebiet und für die drei Bereiche der Bundes-, Landes- und Kommunalverwaltung verbindlich ist. Für seine Anwendung ist jedoch eine interne Regelung erforderlich, die in Wirklichkeit nicht existiert, da das Bundesgesetz nicht für die Bereiche der Landes- und Kommunalverwaltung zuständig ist.

3.1 ANALYSE DES KOLUMBIANISCHEN RECHTSSYSTEMS IN VERWALTUNGSANGELEGENHEITEN

Kolumbien hat aufgrund des bewaffneten Konflikts, in dem die politischen Kräfte an der Macht diejenigen zum Schweigen gebracht haben, die ihren Interessen zuwiderhandeln, Fortschritte im Bereich der staatlichen Verantwortung gemacht, was zu echten Missbräuchen seitens des Staates geführt hat, da der Staat als Ergebnis der politischen Kämpfe eine ganze normative und rechtswissenschaftliche Komponente im Bereich der Verantwortung bereichert hat, Mit anderen Worten, das kolumbianische System nach der Verfassung von 1991 hat sich seit ihrer Inkraftsetzung insofern verändert, als die Verfassung und die Normen des Grundgesetzes Normen der direkten Anwendung sind, die die Fälle lösen, und andererseits die Durchsetzbarkeit und Anwendung der Verfassung zur Regel geworden ist, wo vorher absolute Unterlassung herrschte.

TaшЫёп, die gerichtlichen Mechanismen zur Erlangung des Rechts auf Entschädigung in Kolumbien wird in der Politischen Charta, (1991), Artikel 90, argumentiert und hat große Bedeutung, die Anwendung der Verantwortung des Staates, da es die oberste Norm ist und die Anforderungen, Verfahren und Prozeduren bestimmt, denen die anderen Normen des Systems unterworfen werden müssen, Und im Hinblick auf die Anwendung von Mechanismen für verfassungsrechtliche Wirkungen zeigt sie nicht nur, wie manipulierbar die Legalität ist, sondern unterstreicht auch die Notwendigkeit, stärkere und demokratischere Kontrollen wie die der Verfassungsmäßigkeit und Konventionalität im Rahmen des Gesetzes zu strukturieren.
Was den in Artikel 90 der Verfassung verankerten rechtswidrigen Schaden anbelangt, so ist er im rechtlichen Kontext von großer Bedeutung, da er eine andere Einschränkung der Art und des Zwecks der Haftung mit sich bringt, die von einer typischen Strafhaftung zu einer typischen Wiedergutmachungshaftung übergeht, indem er die Haftung des Staates unter der Bedingung aufbaut, dass sie ihm zurechenbar ist, weshalb der Staatsrat erklärt hat, dass er die Rechtswidrigkeit des Schadens trennt.
Andererseits wird zu den Kriterien der Wiedergutmachung erwähnt, dass sie ganzheitlich sein muss und alle Schäden zu ersetzen sind, soweit sie nachgewiesen sind; Zu den materiellen Schäden gehören die Begriffe des entgangenen Gewinns und des Verdienstausfalls, die nach den gesammelten Beweisen entschädigt werden müssen, und auch die tatsächliche Zeit des Entzugs muss bei der Berechnung des konkreten Betrags angerechnet werden, während die immateriellen Schäden aus den moralischen Schäden resultieren und entschädigt werden müssen, wenn man seiner Freiheit beraubt wird, so die Kammer für Verwaltungsstreitsachen.
Andererseits ist die nationale Gesetzgebung Kolumbiens in Art. 90 der Verfassung von 1991 verankert und bezieht sich auf die Rechtswidrigkeit des Schadens, der dem Staat durch Handlungen oder Unterlassungen seiner Vertreter zuzurechnen ist, was die Rechtswidrigkeit des Schadens darstellt, der die vermögensrechtliche Verantwortung des Staates beeinträchtigen kann.
Abschließend ist es notwendig, auf die juristischen Fortschritte hinzuweisen, die der Staatsrat herausgegeben hat und die die grundlegende Prämisse für die vermögensrechtliche Verantwortung des Staates auf der Grundlage von Artikel 90 der politischen Verfassung von 1991 schaffen, die darauf hinweist, dass unabhängig davon, ob die Handlungen des Staates rechtmäßig oder rechtswidrig waren, es ausreicht, dass der dem Staat zuzuschreibende Schaden für das Opfer rechtswidrig ist, um eine vermögensrechtliche Verantwortung gegen den Staat auszulösen.

Der dem Staat zuzurechnende Schaden ist für den Geschädigten lediglich rechtswidrig, um die vermögensrechtliche Haftung des Staates auszulösen.

Vergleichende Tabelle 1 zu den Ähnlichkeiten

zwischen

Mexiko und Kolumbien bei der streitigen

Verwaltungsgerichtsbarkeit zur Beantragung einer Entschädigung für die staatliche Verantwortung.

Vergleichende Tabelle der Ähnlichkeiten, die in der streitigen Verwaltungsgerichtsbarkeit bestehen, um eine Entschädigung für die staatliche Verantwortung zu fordern.	
Mexiko	**Kolumbien**
Rechtlicher Rahmen	**Rechtlicher Rahmen**

I. Verfassung Policita de los Estados Artikel 113 Absatz 2 der mexikanischen Verfassung erkennt das Recht des Einzelnen auf gerechte Entschädigung an, wenn durch die rechtswidrige Verwaltungstätigkeit von Staatsbediensteten ein Schaden an seinem Vermögen entsteht. II. Ordnungsrecht: Ley Federal de Die vermögensrechtliche Verantwortung des Staates, Artikel 1, 2, 4, 9, 11 und 14, bezeichnet die rechtswidrige Verwaltungstätigkeit, die Schäden an den Gütern und Rechten von Einzelpersonen verursacht, zu deren Übernahme diese nicht gesetzlich verpflichtet sind. III. Rechtsprechung aus Der Oberste Gerichtshof der Nation. IV. Ley General de Victima, Artikel 1, 3, 4, 10, 12 und 73 Teil IV.	I. Die politische Verfassung von 1991, In Artikel 90 werden rechtswidrige Schäden anerkannt, die dem Staat zuzurechnen sind. II. Ordnungsrecht: Gesetz über die Rechtspflege 270 von 1996 und seine Artikel 65, 66, 67, 68, 69 und 70. III. Codigo de Procedimiento Administrativo y de lo Contencioso Administrativo, (Gesetz 1437 von 2011, 18. Januar), Artikel 1, 2, 10 und 414. IV. Vom Staatsrat erlassene Rechtsprechung zur Wiedervereinigung.

Internationale Normen	Internationale Normen
I. Die amerikanische Konvention der Menschenrechte Artikel 10, 8 und 25. II. Der Internationale Pakt über bürgerliche und politische Rechte Bürgerliche und politische Rechte, Artikel 9 und 14. III. Die Allgemeine Erklärung der Menschenrechte Menschenrechte Artikel 1, 8 und 9.	I. Die Amerikanische Menschenrechtskonvention Menschenrechte Artikel 10, 7, 8, 9 und 25. II. der Internationale Pakt über wirtschaftliche, soziale und kulturelle Rechte Bürgerliche und politische Rechte, Artikel 9 und 14. III. Die Allgemeine Erklärung der Menschenrechte, Artikel 1, 8 und 9. IV. Die Europäische Menschenrechtskonvention. Artikel 5
Wettbewerb	**Wettbewerb**
I. An Bundesbehörden. II. Die Bundesbehörden, die erzeugt die patrimoniale Verantwortung des Staates.	I. Die kolumbianischen Rechtsvorschriften sind anwendbar für das gesamte Hoheitsgebiet, während in Mexiko die Rechtsvorschriften nicht für das gesamte Hoheitsgebiet gelten.
Das Verfahren in Verwaltungsangelegenheiten vor:	**Das Verfahren in Verwaltungsangelegenheiten vor:**
I. Bundeshaftungsgesetz Der Anspruch auf Entschädigung muss in erster Instanz bei der Behörde geltend gemacht werden, der die schädigende Handlung zugerechnet wird, wenn diese die Entschädigung verweigert. II. Bundesfinanzhof (BFH) Verwaltung, (TFJFA).	I. Verwaltungsrichter 1ª Instanz II. 2. Instanz Verwaltungsgericht III. Staatsrat

Anwendbare Regelung	Anwendbare Regelung
I. Dies ist eine allgemeine Regelung, die für öffentliche Einrichtungen des Bundes gelten. II. Unmittelbares Haftungsregime III. Strenge Haftungsregelung	I. Regelung für Wertpapiere von die Schuld an der Fehlfunktion des Staates. II. Ausfallregime der Dienstleistung (Schaden) besonderes und außergewöhnliches Risiko)
Elemente der Vermögenshaftung des Staates	**Elemente staatlicher Verantwortung, die die Freiheit verhindern**
I. Verschuldensunabhängige und unmittelbare Haftung gegen den Staat. II. verschuldensunabhängige und unmittelbare Haftung gegen den Staat. III. Verschulden, Schuld oder Fahrlässigkeit müssen nicht nachgewiesen werden. IV. Nachweis einer Verletzung oder eines Schadens, der der föderalen öffentlichen Einrichtung zuzuschreiben ist. V. Handeln oder Unterlassen des Staates. VI. unregelmäßige Verwaltungstätigkeit. VII. Sie beruht auf der Theorie der Schädigung. (der Einzelne hat Anspruch auf Entschädigung, weil er eine Verletzung von Eigentum und Rechten erlitten hat, ungeachtet einer gesetzlichen Verpflichtung, die Verletzung zu tragen). VIII. durch die Tätigkeit verursachte Schäden	I. Unmittelbare Wiedergutmachung. II. das Handeln oder Unterlassen des Staates besteht in bei der Erfüllung der Verpflichtungen der Verwaltung. III. Im Falle eines Dienstversagens muss der Kausalzusammenhang zwischen dem Dienstversagen und der unerlaubten Handlung nachgewiesen werden. IV. Subjektive Theorie: Versagen im Dienst und außergewöhnliches Risiko, in dieser Theorie werden das Versagen im Dienst, der Schaden und der kausale Zusammenhang aufgezeigt. V. Objektive Theorie: Es treten keine besonderen Schäden auf. prüft das Verhalten des staatlichen Akteurs, und die Handlung oder Unterlassung des Staates muss nachgewiesen werden. VI. Gründe für rechtswidrigen Freiheitsentzug Freiheit sind die folgenden: Denn die Tat hat sie nicht begangen, der

Quelle: Informationen, die für dieses Papier relevant sind, Mai, 2017.

Vergleichende Tabelle 2 zu den Unterschieden zwischen Mexiko und Kolumbien bei der streitigen Verwaltungsgerichtsbarkeit zur Beantragung einer Entschädigung für staatliche Verantwortung.

Vergleichende Tabelle der Unterschiede, die in der streitigen Verwaltungsgerichtsbarkeit bestehen, um eine Entschädigung für die staatliche Verantwortung zu fordern	
Rechtlicher Rahmen, Mexiko	**Rechtlicher Rahmen, Kolumbien**
I. Constitution Politica Artikel 113, Der zweite Teil gilt auch, wenn es keine Rechtsvorschriften gibt, die das Recht auf Entschädigung regeln. II. die verfassungsrechtliche Garantie der Bundes. III. Bundeshaftungsgesetz In Chiapas, Mexiko, das im Süden des Landes liegt, ist das Erbrecht des Staates nicht anwendbar. Es gilt nur für öffentliche Einrichtungen des Bundes. IV. Allgemeines Opfergesetz, nein Im Bundesstaat Chiapas ist jedoch eine interne Regelung für ihre Umsetzung erforderlich. V. Es gibt keine Rechtsvorschriften auf der Ebene der	I. Sie ist in der Verfassung anerkannt von 1991, Artikel 90, Haftung des Staates für zurechenbare rechtswidrige Schäden. II. Sie verfügt über ein Regulierungsgesetz, das für das gesamte kolumbianische Hoheitsgebiet gelten. III. Das Verfahren ist geregelt Die Verwaltungsverfahrensordnung IV. Sie haben einen Verwaltungszweig. Der spezialisierte Staatsrat ist der Staatsrat, der Urteile erlässt. V. Die einheitliche Rechtsprechung des Der Staatsrat hat in dieser Angelegenheit Präzedenzcharakter und ist rechtskräftig. VI. Ein neues Schadenskriterium ist gefunden

lokale Behörde, die das Recht auf Entschädigung regelt. VI. Die Anwendung der Vorschriften des Die Staatshaftung ist auf Staaten beschränkt, die nicht zuständig sind. **Internationale Normen** I. Am 10. Juni 2011 wurde der Artikel 1° der Verfassung wurde geändert, um die in internationalen Verträgen anerkannten Menschenrechte einzubeziehen.	In der politischen Verfassung von 1991 wird sie jedoch nicht in der politischen Verfassung der mexikanischen Staaten anerkannt. **Internationale Normen** I. Sie ist in der Verfassung anerkannt von 1991, in Artikel 93, die für den kolumbianischen Staat geltenden internationalen Verträge und Übereinkommen. II. 1991 wurde in Kolumbien die internationale Normen und nicht

II. Mexiko erkannte die normative international, 2011. **Wettbewerb** I. Die öffentlichen Einrichtungen des Staates Chiapas ist nach dem aufgeschobenen Gesetz nicht zuständig. I. Es gibt ein Bundesgesetz über Die vermögensrechtliche Verantwortung des Staates, die keine für die Staaten geltende Regelung enthält. II. Das Ordnungsrecht der Die vermögensrechtliche Haftung des Staates erstreckt sich nicht auf das gesamte Staatsgebiet und die drei Verwaltungsebenen: Staat und Gemeinde. **Verfahren in Verwaltungsangelegenheiten :** I. Bundesfinanzhof (BFH) Die einzige Verwaltungsstelle, die das Verfahren durchführt. II. Es gibt kein geregeltes Verfahren für die Bundesstaaten, aus denen das Land besteht, wie zum Beispiel Chiapas, Mexiko. **Anwendbare Regelung** I. Dies ist eine allgemeine Regelung, die für öffentliche Einrichtungen des Bundes gelten. II. Es gibt keine Die Haftung des Staates im Besonderen. III. am Beispiel von Chiapas, es gibt keine staatliche Haftungsregelung.	Mexiko. **Wettbewerb** I. Die Zuständigkeit gilt für das gesamte Das kolumbianische Hoheitsgebiet ist ein einheitliches Land. II. Der Staat hat Stiftungen für die Ursachen, die reagieren werden. **Verfahren in Verwaltungsangelegenheiten :** I. Sie verfügt über Stufen zur Einleitung der Verwaltungsverfahren II. 1. Instanz. Das Verfahren ist eröffnet, Verwaltungsrichter sind zuständig III. 2. Instanz, die Verwaltungsgerichte entscheiden in erster Instanz IV. 3. Instanz, Staatsrat, höchstes Gericht, in streitiger Verwaltungsgerichtsbarkeit. V. Kolumbien hat eine Gerichtsbarkeit Das Verwaltungsgericht, das für die Beilegung von Streitigkeiten innerhalb der öffentlichen Verwaltung zuständig ist, während es in Mexiko kein oberstes Gericht für Verwaltungsangelegenheiten gibt. **Anwendbare Regelung** I. Sie haben eine Regelung, die für Wertpapiere gilt. der Anrechnung. II. Es gibt Regime und sie werden unterteilt in: Ausfall der Leistung, besondere Schäden und außergewöhnliche Risiken. **Elemente der staatlichen Verantwortung für Freiheitsentzug** I. Es gibt eine direkte Entschädigung für um einen Anspruch auf Entschädigung zu erhalten, indem sie

Elemente der Haftung **Staatliches Vermögen** I. Die Verantwortung des Staates macht Bezugnahme auf den zweiten Absatz Artikel 113 der Verfassung und des Gesetzes Föderale Haftung das Vermögen des Staates, das auf den Gegenstand beschränkt Verwaltung. II. die Elemente, die sich aus dem Bundeshaftungsgesetz Staatliches Eigentum, nicht zutreffend an die Staaten. III. Es ist das Handeln oder Unterlassen des Staat, und es gibt keine Rechtsvorschriften, die regulieren. IV. Mexico hat keinen Schaden in Betracht gezogen. rechtswidrig, aber Haftung Staatliches Vermögen.	Verantwortung des Staates. II. Es gibt geltende Rechtsvorschriften, die die Staatliches Handeln und Unterlassen. III. stützt sich auf zwei Theorien zur Ermittlung der Verantwortung des Staates. IV. rechtswidriger Schaden wird anerkannt. Im Verfassung. V. Es gibt Kompendien für ungerechtfertigte Entbehrungen. der Freiheit. VI. In der Verfassung von 1991 wurde die Theorie der Serviceausfall Hauptgrund für die finanzielle Verantwortung der Status. VII. Kolumbien hat Anrechnungstitel, die für den Fall geeignet ist, wie zum Beispiel: die Theorie der subjektive und die objektive Theorie, während dass es in Mexiko keine Anrechnung.

Quelle: Informationen aus diesem Papier, Mai 2017.

3.2 Vergleichende Analyse des kolumbianischen und des mexikanischen Rechtssystems in Verwaltungsangelegenheiten zur Einreichung der Entschädigung von unrechtlich aus der Freiheit entfernten Personen

Andererseits ist es erwähnenswert, dass wir bei der Untersuchung des Aufschubs bei der Analyse der in Kolumbien und Mexiko existierenden juristischen Mechanismen festgestellt haben, dass es in der Tat einen Präzedenzfall im Zusammenhang mit dem maximalen Schutz der Menschenrechte gibt.

Die Politische Verfassung (1991) fügt übrigens das Recht auf Entschädigung für Freiheitsentzug in Kolumbien hinzu, das in Artikel 90 dieser Politischen Charta geregelt ist, und demzufolge wird der

Staat für entschädigungslose Schäden aufkommen.

Was den rechtlichen Rahmen anbelangt, so erkennt Kolumbien in der politischen Verfassung den Schadensersatz gegen Rechtsverletzungen an, und in diesem Zusammenhang gibt es ein Regelungsgesetz, das Ley Estatuaria de la Administración de Justicia, den Codigo de Procedimiento Administrativo y de lo Contencioso Administrativo, und schließlich die einheitliche Rechtsprechung des Consejo de Estado, die in ihrer Entwicklung transzendental war und vor allem den Opfern von Freiheitsentzug zugute kommt, wenn sie eine Entschädigung für Schäden verlangen, die dem Staat zuzurechnen sind.

Wie bereits erwähnt, gibt es für Kolumbien eine Klassifizierung der Regelungen für die Titel der Zurechnung, für ungerechtfertigte Entbehrung in dieser Hinsicht in der subjektiven Theorie ist zunächst Ausfall des Dienstes, außergewöhnliches Risiko und muss das Scheitern in den Dienst, Schaden und Kausalzusammenhang zu beweisen; und in Bezug auf die objektive Theorie gibt es den besonderen Schaden in Bezug auf den Nachweis des Schadens und des Kausalzusammenhangs, in Bezug auf diese Titel wird der Fall je nach der Art, in der er aufgetreten ist, angepasst, um auf diese Weise dem Staat den unrechtmäßigen Schaden nachzuweisen, für den er reagieren muss.

Zusammenfassend lässt sich sagen, dass die gerichtlichen Mechanismen in Kolumbien, um eine Entschädigung zu beantragen, durch die Gesetzgebung und die Rechtsprechung geregelt sind, und dass es eine spezielle Abteilung gibt, die das Verfahren durchführt. Es ist erwähnenswert, dass die Gesetzgebung für das gesamte kolumbianische Territorium gilt, und es ist ein einheitliches Land, in der Tat gibt es eine direkte Wiedergutmachung, um das Recht zu beantragen, für die Verantwortung des Staates entschädigt zu werden, mit anderen Worten, es ist ein Schaden, der dem Staat zuzuschreiben ist und daher muss er reagieren, in diesem Szenario hat das Subjekt nicht die Pflicht, den antijuristischen Schaden zu tragen.

Im Falle Mexikos stützt sich die politische Verfassung auf Artikel 113, zweiter Abschnitt, und wird wie folgt ausgelegt: Wenn es keine Gesetzgebung gibt, die die patrimoniale Verantwortung des Staates regelt, wird sie auf die Staaten angewandt, um auf die vom Staat verursachten Schäden zu reagieren; es ist erwähnenswert, dass es ein Regulierungsgesetz gibt, das jedoch nicht anwendbar ist, sondern nur für Einrichtungen mit föderaler Kompetenz gilt. Was den mexikanischen Rechtsrahmen anbelangt, so ist der Schadenersatz in der Pohtica-Verfassung nicht vorgesehen, obwohl sie sich auf die vermögensrechtliche Verantwortung des Staates bezieht, und in Ermangelung eines Gesetzes wird sie ergänzend angewandt.

Es wird auch erwähnt, dass es ein allgemeines Opfergesetz gibt, obwohl es keine Regelung gibt, um es auf die Staaten anzuwenden, speziell im Fall von Chiapas, in Anbetracht dieser Situation sind die

Opfer von Freiheitsentzug ungeschützt, da der Weg, eine Entschädigung zu beantragen, schmal ist. Was die internationalen Normen anbelangt, so hat Mexiko im Rahmen der Verfassungsreform vom 11. Juni 2011 internationale Konventionen und Verträge angenommen, während Kolumbien internationale Konventionen und Verträge zum ersten Mal 1995 anerkannt hat, indem es sie aus Artikel 93 der Verfassung mit Verfassungsrang ableitete. Vor diesem Hintergrund ist festzustellen, dass Kolumbien im Bereich der Menschenrechte die internationalen Normen vor Mexiko übernommen hat, da das Land bei der Anerkennung des Schutzes der Menschenrechte auf internationaler Ebene große Fortschritte gemacht hat.

In Mexiko hingegen handelt es sich um eine allgemeine Regelung, die für föderale öffentliche Einrichtungen gilt, d.h. es gibt keine Klassifizierung der anwendbaren Regelung, um den Schaden zu bestimmen und den Fall je nach Art des Ereignisses zu berücksichtigen. Angesichts dieser Einschränkung der Regelung ist es für die Opfer, die eine Entschädigung für die verursachten Schäden beantragen, noch schwieriger, die vermögensrechtliche Verantwortung des Staates nachzuweisen.

Schließlich ist die Situation in Mexiko, das nicht über spezialisierte gerichtliche Mechanismen bezüglich der patrimonialen Verantwortung des Staates verfügt, ein Beispiel für Kolumbien, das über gerichtliche Mechanismen und eine Klassifizierung der anwendbaren Regelungen verfügt, um vom Staat eine Entschädigung für verursachte Schäden zu fordern. Mexiko, und insbesondere Chiapas, ist verpflichtet, Schutzmaßnahmen zu ergreifen, um die Rechte der Opfer zu garantieren und anzuerkennen.

SCHLUSSFOLGERUNGEN

1. Zusammenfassend ist zu sagen, dass Mexiko, Chiapas, gerichtliche Mechanismen einführen sollte, um das Recht auf Entschädigung und Wiedergutmachung des Schadens einzufordern, wenn der Staat die Menschenrechte gegenüber dem Einzelnen nicht durchsetzt, was zu einer Verantwortung des Staates für die irreguläre Verwaltungstätigkeit des Staates führt, Daher gibt es einen Mechanismus der Verantwortung, der im 113 Verfassungs- und Ordnungsrecht vorgesehen ist, wie das Bundesgesetz über die vermögensrechtliche Verantwortung des Staates, das die Wiedergutmachung von Menschenrechtsverletzungen ermöglicht, das in die Zuständigkeit des Bundes fällt und daher auf Verwaltungsangelegenheiten und seine Anwendung im Bundesstaat Chiapas beschränkt ist.
2. Im Fall des mexikanischen Bundesstaates Chiapas, in dem es keine Gesetzgebung gibt, die die Verantwortung des Staates für Schäden anerkennt, komme ich zu dem Schluss, dass eine Gesetzgebung geschaffen werden muss, die das Recht der Bevölkerung von Chiapas und

derjenigen, die Opfer von ungerechtfertigtem Entzug sind, garantiert und Maßnahmen zum maximalen Schutz der Menschenrechte ergreift, sofern sie in der Verfassung von Chiapas die Verantwortung des Staates für unrechtmäßige Schäden, die dem Staat zuzuschreiben sind, anerkennt.

3. Es ist notwendig, ein Regelungsgesetz vorzuschlagen, das mit der Verantwortung des Staates für sein Vermögen übereinstimmt, das sich auf die Verfassung von Chiapas stützt und strikt anwendbar ist, so dass der Staat Chiapas, wie jeder andere Staat der Republik, sein eigenes Gesetz zu diesem Thema erlassen muss, das sich an die Richtlinien anpasst, um die Rechte der Opfer anzuerkennen, und der Staat muss seinen Verpflichtungen nachkommen und auch Maßnahmen der Nichtwiederholung garantieren.
4. In jedem Fall stimme ich zu, dass es in der mexikanischen Gesellschaft immer mehr Fälle von Opfern von Freiheitsentzug gibt, die eine Entschädigung für die vom Staat verursachten Schäden fordern. In dieser Situation gibt es kein spezielles System der staatlichen Verantwortung, das die Rechte der Opfer garantiert, und in dieser Hinsicht ist es von entscheidender Bedeutung, die Konsolidierung der patrimonialen Verantwortung des Staates in Chiapas, Mexiko, zu fördern.
5. Und schließlich die Bedeutung, die Mexiko bei der Entwicklung der Verantwortung des Staates für sein Erbe hat, indem es den Staaten auferlegt, interne Vorschriften zu erlassen, um den Opfern ihre Menschenrechte zu garantieren, was ebenfalls einen rechtsdogmatischen Beitrag von transzendenter Bedeutung für das Land darstellt.

Kolumbien

1. In Kolumbien gibt es einen speziellen Staatsrat, der für die Verantwortung des Staates bei ungerechtfertigtem Freiheitsentzug zuständig ist, was ein besonderes Problem darstellt. Auch die Rechtsprechung in Bezug auf die Verantwortung des Staates für ungerechtfertigten Freiheitsentzug in Bezug auf den Staatsrat hat mit verfassungsmäßiger Absicht entschieden, und darüber hinaus wird sie angetrieben, um die Garantien zu gewährleisten, in dem Sinne, dass der Streit- und Verwaltungsgerichtshof, die Richter und Staatsanwälte in Übereinstimmung mit der politischen Verfassung von 1991 arbeiten, ebenfalls, Der Verwaltungsgerichtshof und der Staatsrat sind verpflichtet, die Rechte und Freiheiten aller Einwohner zu garantieren und die Ziele auf dem kolumbianischen Territorium zu erfüllen. Der Staatsrat fügt hinzu, dass er jährlich 14 Tausend Urteile verfasst, so dass dieses Gericht die Rechte der Verfassung und des Gesetzes zugunsten aller Einwohner des nationalen Territoriums garantiert.
2. Ebenso spielt das kolumbianische Land auf die Tatsache an, dass nach dem Leben ist das

wichtigste Recht der Menschen auf Freiheit selbst, ist es gerade eine wirksame Garantie für die Bewohner des Territoriums zu geben, in der Tat die Existenz eines Regimes mit einer verfassungsrechtlichen Grundlage und umfangreiche rechtliche Entwicklungen, also die Rechte in der Verfassung und den Gesetzen der Republik verankert, stellt sich eine Frage: Inwieweit kann der Staat, im Rahmen der Verfassung und des Gesetzes, zu beschränken, effektiv die Freiheit bestimmter Menschen zu begrenzen?

3. Der Staatsrat erklärt in Bezug auf die Verantwortung des Staates für sein Vermögen, dass er bereits vor dem Erlass der politischen Verfassung von 1991, die derzeit gilt, eine Rechtsprechung entwickelt hat, und dass die derzeit geltende Verfassungsnorm zu einem großen Teil sogar von diesen Entwicklungen und juristischen Konstruktionen inspiriert wurde. Seit vielen Jahren und Jahrzehnten gibt es die Idee, dass der kolumbianische Staat ein verantwortungsvoller Staat ist und sein sollte, und heute wird diese Idee in einer ausdrücklichen, positiven Weihe im Artikel 90 der Politischen Verfassung von 1991 postuliert, der betont, dass der Staat für die ihm zurechenbaren rechtswidrigen Schäden, wenn sie durch das Handeln oder Unterlassen der öffentlichen Behörden verursacht wurden, vermögensrechtlich einstehen muss.
4. Das derzeitige Verfassungsmodell des kolumbianischen Staates ist kein unverantwortlicher Staat, kein Staat, der Schaden anrichten, die Bewohner des kolumbianischen Territoriums angreifen und sich ungestraft zurückziehen kann, weil er nicht zur Verantwortung gezogen wird, denn die politische Verfassung geht von einer anderen Annahme aus, und der Staat muss für den rechtswidrigen Schaden aufkommen, der ihm aufgrund der Handlungen und Unterlassungen der Staatsorgane selbst angelastet werden kann.
5. In diesem Zusammenhang ist es von größerer Bedeutung, dass die patrimoniale Verantwortung des Staates, die bekanntlich Gegenstand immenser doktrinärer, akademischer und natürlich rechtswissenschaftlicher Entwicklungen war, als zentrales Thema der politischen Verfassung mit Nachdruck hervortritt, dass die patrimoniale Verantwortung des Staates im Sinne von Artikel 90 der politischen Verfassung von 1991 in der Rechtswidrigkeit des Schadens begründet ist, Das bedeutet, dass er aus Handlungen oder Unterlassungen von Entscheidungen entstehen kann, die gegen das Gesetz verstoßen, oder sogar in bestimmten Fällen, die mit der Verfassung und dem Gesetz übereinstimmen, denn es ist nicht die Rechtswidrigkeit des Verhaltens, es ist nicht die Rechtswidrigkeit der Entscheidungen der öffentlichen Gewalt, die die patrimoniale Verantwortung des Staates gefährdet, sondern die Rechtswidrigkeit des Schadens, aus dieser Perspektive.
6. In Übereinstimmung mit Artikel 90 der Politischen Verfassung von 1991 kann man meiner Meinung nach argumentieren, dass die Verantwortung des Staates aus der Perspektive der

Opfer verankert ist, da er mehr das Opfer als das schadensverursachende Verhalten im Auge hat, weshalb zu einem bestimmten Zeitpunkt der Schaden, den eine Person erleidet, rechtmäßig oder unrechtmäßig ist, denn wenn er unrechtmäßig ist und dem Staat zuzuschreiben ist, hat er nicht die rechtliche Pflicht, ihn zu tragen, und es besteht eine Verantwortung gegenüber dem Staat.

BIBLIOGRAPHISCHE REFERENZEN

Agencia Nacional de Defensa Juridica del Estado (2013). *Ungerechtfertigter Freiheitsentzug: zwischen Strafrecht und Verwaltungsrecht.* Bogota: Agencia Nacional de Defensa Juridica del Estado.

Castro Estrada, A. (2017). LA RESPONSABILIDAD PATRIMONIAL DEL ESTADO EN MEXICO. FUNDAMENTO CONSTITUCIONAL Y LEGISLATIVO. *Instituto de Investigaciones Juridicas de la Unam.* Abgerufen von https://archivos.juridicas.unam.mx.

Katalog für die Qualifizierung und Untersuchung von Menschenrechtsverletzungen der Nationalen Menschenrechtskommission des Bundesdistrikts. (10. April 2017). *Catalago para la calificacion e investigacion de violacion a Derechos Humanos de la Comision Nacional de Derechos Humanos del Distrito Federal.* Abgerufen von http://www.yumpu.com.

Celemin, Reyes, L., & Roa, Valencia, J. A. (2004). *Responsabilidad Extracontractual del Estado por Provacion Injusta de la Libertad.* Bogota: Pontificia Universidad Javeriana.

Bundeszivilgesetzbuch. (03 von 04 von 2016). *Codigo Civil Federal.* Mexiko-Stadt: Senado de la Republica mexicana. Abgerufen von https://www.juridicas.unam.mx.

Comisión Ejecutiva de Atencion a Victimas (Exekutivkommission für die Betreuung von Opfern) (09. Januar 2013). Mexiko, Mexiko. Abgerufen von http://www.ceav.gob.mx.

Konstituierender Kongress (10. April 2017). *Magna Carta.* Abgerufen von http://www.diputados.gob.mx.

Konstituierender Kongress (10. April 2017). *Politische Verfassung der Vereinigten Mexikanischen Staaten.* Abrufbar unter http://www.diputados.gob.mx

Politische Verfassung von Kolumbien (n.d.). In F. Gomez Sierra, & Vigesima (Hrsg.), *Constitucion Politica de Colombia- Anotada* (S. 71). Bogota, Bogota: LEYER. Abgerufen am 10. April 2017, von wwww.constitucionpoliticadeColombia.co.

Interamerikanischer Gerichtshof für Menschenrechte (10. April 2017). *Interamerikanische Kommission für Menschenrechte.* Abgerufen von http://www.oas.org

Abteilung für Gesetzgebungsdokumentation-SIID (14. Juni 2014). *Abteilung für Gesetzgebungsdokumentation-SIID.* Abgerufen von https://www.insp.mx

Esparza Martinez, B. (2015). *La reparation del dano (*1 ed.). Mexiko: Inacipe. Abgerufen von http://www.inacipe.gob.mx.

Estatuaria Administracion de Justicia, Ley 270,1996. (n.d.). *http://www.alcaldiabogota.gov.co.*

Flores Ramos, A. (2014). Analisis de la Ley General de Victimas, en cuanto a la reparacion del dano por violaciones a los derechos humanos. *FLACSO MEXICO.* Abrufbar unter www.Flacso.com.

Flores Trujillo, M. H. (2010). *Analisis de las sentencias de la H.Corte Constitucional Colombiana en relacidn con los derechos Humanos.* Abgerufen von ttps://es.slideshare.net

Gomez Sierra, F. (2010). *Constitution Politica de Colombia.* Bogota: Leyer.

Gonzalez Noriega, O. C. (8. April 2017). *Responsabiliad del Estado en Colombia: Responsabilidad por el hecho de las leyes.*

Guerrero, O. J., & Merchan, C. (2013). UNGERECHTFERTIGTE FREIHEITSBERAUBUNG: ZWISCHEN STRAFRECHT UND VERWALTUNGSRECHT. *Agencia Nacional de Defensoria Juridica del Estado,* 64. Abgerufen von www.defensajuridica.gov.co

Gutierrez, A. (16. Mai 2017): *Arten von Urteilen des kolumbianischen Verfassungsgerichts.* Abrufbar bei Gutierrez, Abogados: http://gutierrezabogadosinternational.com.co

Hector, D. A. (2006). *Responsabilidad del Estado y de sus funcionarios* (Vol. tercera Edicion). Bogota, Kolumbien: Ibanez.

Judicatura, C. S. (2017). *Rama Judicial Republica Colombia.* Abgerufen von http://sistemagestioncalidad.ramajudicial.gov.co.

Allgemeines Gesetz über Opfer (03. Mai 2013). *Amtsblatt der Föderation (Diario Oficial de la Federation).* Mexico. Abgerufen von www.diariooficialdelafederacion.com.

Maryse, D. (2010). *La Justicia y la responsabilidad del Estado.* Bogota: Universidad Santo Tomas.

Meneses Mosquera, P. A. (2000). *EVOLUCION JURISPRUDENCE DEL CONSEJO DE ESTADO EN MATERIA DE SEGURIDAD CIUDADANA.* Bogota: (Dissertation). Pontificia Universidad Javeriana, Facultad de Ciencias Juridicas. Abgerufen von Evolucion jurisprudencia del Consejo del Estado en materia de seguridad ciudadana: http://www.javeriana.edu.co

Mosri Gutierrez, M. (2015). ANÁLISIS DE LA LEY FEDERAL DE RESPONSABILIDAD PATRIMONIAL DEL ESTADO Y DE LA LEY GENERAL DE VICTIMAS: DESAFIOS Y OPORTUNIDADES DE UN REGIMEN EN CONSTRUCCIÓN. *Cuestiones Constitutionals, (33),* 133-155.

Vereinte Nationen (12. Oktober 1965). Abgerufen von http://www.un.org

Nader Orfale, R. F. (19. Oktober 2010). *EVOLUCIÓN JURIDICA DE LA RESPONSABILIDAD EXTRACONTRACTUAL DEL ESTADO EN COLOMBIA.*

OAS. (10. April 2017). Abgerufen von http://www.oas.org

OAS. (10. April 2017). *Hochkommissarin der Vereinten Nationen für Menschenrechte.* Abgerufen von http://www.ohchr.org.

Perez, M. (28. Juli 2009). La responsabilidad patrimonial del Estado bajo la lupa de la jurisprudencia del Poder Judicial de la Federacion. 13-38. Abgerufen von https://doctrina.vlex.com.mx

pinzon Munoz, C. E. (2016). *La responsabiidad Extracontractual del Estado- Una teoria normativa* (G. I. Carreno, Ed.) Bogota, Colombia: Ibanez.

Föderales Justizwesen. (2016). *Institute de Investigaciones Juridicas de la Unam,* 4. Abgerufen von http:archivos.juridicas.unam.mx

Prato Ramirez, L. J. (2016). *La responsabilidad del Estado por privacion Injusta de la Libertad en Colombia (*Master's thesis). Universidad Colegio Mayor de nuestra Senora del Rosario. Abgerufen von http://www.repository.urosario.edu.co.

Revista Juridica de la Unam (2013). Organizacion del Poder Judicial. *Instituto de Investigaciones Juridicas de la Unam(2),* 36. Abgerufen von http://www.juridicas.unam.mx

Rivera Villegas, A. M. (2003). *RESPONSABILIDAD EXTRACONTRACTUAL DEL ESTADO: ANALISIS DEL DANO FISIOLOGICO O A LA VIDA RELACION* (Dissertation). Pontificia Universidad Javeriana, Fakultät für Recht und Rechtswissenschaften, Abteilung für öffentliches Recht.

Rodriguez R., L. (1997). Estructura del Poder Publico en Colombia. Bogota: Temis S. A.

Saavedra, Ordonez, O. D. (2015). *Veränderung der Lebensbedingungen von Angehörigen der Nationalen Armee, die im Kampf oder bei militärischen Operationen verwundet wurden.* Bogota: Universidad Millitar Nueva Granada.

Urteil, 14408, 14408 (1. März 2006).

Suprema Corte de Justicia de la Nacion (Januar 2013). Abgerufen von http://sjf.scjn.gob.mx

Suprema Corte de Justicia de la Nacion (Vol. Band 3). (Januar 2013). Mexiko-Stadt: Suprema Corte de Justicia de la Nacion. Abgerufen von www.scjn.gob.mx.

Suprema Corte de Justicia de la Nacion, Tesis aislada (10. Juni 2005). *Suprema Corte de Justicia de la Nacion, Tesis aislada.* Abgerufen von Seminario Judicial de la Federacion y su Gaceta, Libro XVI.

Torres Herrera, R. (2004). LA RESPONSABILIDAD CVIL COMO ANTECEDENTE DE LA RESPONSABILIDAD PATRIMONIAL DIRECTA Y OBJETIVA DEL ESTADO. MEXIKANISCHE ERFAHRUNG. *Instituto de Investigaciones Juridicas de la UNAM,* 2. Abgerufen von www.juridicas.unam.mx

Oberster Gerichtshof des Bundesstaates Chiapas (6. August 1973). *Oberstes Gericht des Staates Chiapas.* Abgerufen von http://www.poderjudicialchiapas.gob.mx/

[16]Der vorhergehende Absatz wurde im Einklang mit dem Urteil C-225 von 1995 und dem Verfassungsgericht, Berichterstatter Alejandro Martinez Caballero, betrachtet.

Milton Keynes UK
Ingram Content Group UK Ltd.
UKHW010851280324
440101UK00001B/172

9 786207 272808